Pedro Schestatsky

MEDICINA do AMANHÃ

Como a genética, o estilo de vida e a tecnologia juntos podem auxiliar na sua qualidade de vida | Medicina 5Ps: PREDITIVA, PREVENTIVA, PROATIVA, PERSONALIZADA e PARCEIRA

Diretora
Rosely Boschini

Gerente Editorial
Carolina Rocha

Editora Assistente
Franciane Batagin Ribeiro

Assistente Editorial
Giulia Molina

Produção Gráfica
Fábio Esteves

Preparação
Vero Verbo Serviços Editoriais

Capa
Renata Zucchini

Projeto gráfico e diagramação
Vanessa Andrade

Ilustrações de Miolo
Sergio Rossi

Revisão
Fernanda Guerriero Antunes
e Amanda Oliveira

Impressão
Gráfica Rettec

Copyright © 2021
by Pedro Schestatsky
Todos os direitos desta edição
são reservados à Editora Gente.
Rua Natingui, 379 - Vila Madalena
São Paulo, SP - CEP 05 443 000
Telefone: (11) 3670-2500
Site: www.editoragente.com.br
E-mail: gente@editoragente.com.br

Dados Internacionais de Catalogação na Publicação (CIP)
Angélica Ilacqua CRB-8/7057

Schestatsky, Pedro

Medicina do amanhã: como a genética, o estilo de vida e a tecnologia juntos podem auxiliar na sua qualidade de vida / Pedro Schestatsky. – São Paulo: Editora Gente, 2020.

224 p.

ISBN 978-65-5544-060-7

1. Saúde 2. Qualidade de vida 3. Medicina - Obras populares 4. Medicina preventiva 5. Estilo de vida I. Título

20-4076

CDD 613

Índice para catálogo sistemático:
1. Saúde - Qualidade de vida

NOTA DA PUBLISHER

Quantos de nós já não sofremos com nossa saúde? Desde doenças que poderiam ser prevenidas com mudanças de hábitos simples até um círculo vicioso de medicamentos que causam efeitos colaterais que exigem mais remédios, nossa relação com a medicina é complexa, cheia de obstáculos e, de certa forma, com foco demasiado na negatividade... Não é mesmo? Mais que isso: no mundo dinâmico e tecnológico que vivemos, trouxemos – ou pelo menos tentamos trazer – todas as esferas da nossa vida para o futuro... Mas será que não estamos nos esquecendo da nossa saúde e bem-estar?

Por isso, caro leitor, o livro que você tem em mãos é essencial para mudar sua relação com a saúde e retomar o controle da sua vida! Aqui, Pedro Schestatsky ensina tudo o que você precisa saber sobre a **Medicina do amanhã** — uma medicina baseada na criação da saúde em vez de apenas tratar doenças, ressignificação da relação médico-paciente e que usa a tecnologia a nosso favor.

Medicina do amanhã é um livro de referência inspirador que o ajudará a transformar sua vida, tornando-a mais saudável, leve, plena e menos reativa. Tenho certeza de que nestas páginas você perceberá que o futuro é agora e, melhor ainda, entenderá que não precisa mais viver a vida com medo do amanhã. Vem com a gente nesta jornada?

Rosely Boschini – CEO e publisher da Editora Gente

DEDICATÓRIA

Dedico este livro à minha esposa, Tatiane e aos meus filhos, Lucas e Felipe. Dedico também a todos os pacientes que atendi nos meus quase trinta anos de Medicina – pessoas dispostas a criar saúde e espantar a doença para o mais longe possível.

AGRADECIMENTOS

Em 2018, palestrei diversas vezes sobre a Medicina do futuro. Foram várias cidades do Brasil, mas, a palestra em Belo Horizonte do dia 7 de novembro marcou para sempre a minha vida.

Ela me marcou não só pela palestra, mas pelo que aconteceu logo depois dela, nos camarins do Teatro do Palácio das Artes, quando encontrei o empreendedor e escritor Gustavo Caetano e ele disse: "Se você conseguir transformar seus slides em páginas, você mudará a vida de muita gente". Foi um momento de perplexidade! E ele prosseguiu: "Faço questão de conectar você com a Rosely Boschini! Ela poderá ajudá-lo a tirar esse projeto do papel".

Pensando no conselho que ele havia me dado, voltei para casa refletindo. Poxa, eu não tinha nada escrito, então como poderia marcar uma reunião com ela sem nada em mãos? Mas o destino estava a meu favor e, reunindo todas as minhas palestras do

YouTube e transformando-as em texto, eu consegui juntar o material que seria necessário para entrar em contato com a Editora Gente.

Algum tempo se passou e estávamos conectados. Fiz uma reunião com a Rosely e com a Carolina Rocha e elas me disseram: "Sua mensagem é poderosa, Pedro, mas o que você escreveu ainda não é um livro. Tem potencial para ser, mas teremos que começar do zero. Topa o desafio de recomeçar?".

Adoro desafios e aceitei na hora, iniciando uma das jornadas mais incríveis da minha vida. E que teve como resultado o livro que você segura em suas mãos! Foram mais de dois anos de muita pesquisa, cursos, viagens e entrevistas, tudo isso compactado nestas 224 páginas.

Um bom livro tem que ser lido e relido várias vezes, e por pessoas diferentes! Assim, meus agradecimentos vão a todos aqueles rabiscaram impiedosamente meu texto, em especial aos meus amigos Tiago Mattos e Christian Barbosa (escritores futuristas), Carolina Souto e Salvador Gullo Neto (empreendedores de saúde), Jurandi Bettio e Marcelo Rodrigues de Abreu (radiologistas exponenciais), Marcelo Campani (especialista em marketing digital) e Malu Echeverria (jornalista).

Também não poderia deixar de citar o auxílio do meu pai, Sidnei, e da minha mãe, Maria Elisa, pelos inúmeros feedbacks em vários capítulos. Sem vocês o livro seria um tiro no escuro.

Entretanto, a minha maior gratidão vai para minha esposa, Tatiane, que além de ler e opinar com a visão de uma analista de processos, também teve paciência neste longo e tortuoso caminho de pesquisa e escrita.

Me empolgo ao falar sobre este novo momento da Medicina exponencial. Ela cria saúde em vez de apenas tratar doenças, utilizando conceitos disruptivos, mas plenamente acessíveis para todos. Segundo Jeffrey Bland, a ausência de doença é um efeito colateral da criação da saúde.*

---

* BLAND, Jeffrey. **The Disease Delusion**: conquering the causes of chronic illness for a healthier, longer, and happier life. HarperCollins: New York. 2014.

E esta criação é sua, caro leitor. Só falta a você uma curadoria para filtrar a quantidade assustadora de informações sobre saúde disponível na internet.

Por isso, gostaria de finalizar dizendo: parabéns por ter adquirido este livro, que considero um verdadeiro depurador de verdades médicas. Você deu o primeiro passo para mudar o jogo e transformar a sua vida, a dos seus pacientes e a de quem você ama para melhor.

Então, aí vai um conselho de professor cascudo: leia este livro com o coração, e não apenas com o cérebro. Isso mesmo. Deixe que o coração absorva tudo para depois ser digerido pelo cérebro. Só assim o conhecimento se torna aplicável e eterno.

Boa leitura!

SUMÁRIO

PREFÁCIO de Leandro Karnal **16**

APRESENTAÇÃO de Mariana Ferrão **20**

INTRODUÇÃO:

Você, dono da sua saúde **24**

A saúde não está nos consultórios 28

A Medicina daqui pra frente 29

CAPÍTULO 1: Caos na saúde em plena

Quarta Revolução Industrial **34**

A indústria farmacêutica e seus truques 36

A conveniência das pílulas 40

Da terceirização à autonomia 43

Automedicar-se não é ser médico de si mesmo 44

CAPÍTULO 2: Ter saúde não significa estar livre de doenças **48**

Por trás dos genes 51

Movimento, alimento, pensamento = MAP 55

CAPÍTULO 3: Hipócrates e a origem do paternalismo médico......60

Meus dados e minha saúde são meus......65

Medicina linear × Medicina exponencial......69

CAPÍTULO 4: Medicina do amanhã: uma revolução para o paciente......76

Medicina da vida real......79

De igual para igual: a horizontalização da saúde......83

O que é ser (realmente) disruptivo......86

CAPÍTULO 5: Medicina Preditiva: como o genoma pode ajudar a detectar doenças antes que elas apareçam ou piorem......90

Genoma e outros Omics "de respeito"......96

O futuro dos bebês......102

Genética *Black Mirror*......104

CAPÍTULO 6: Medicina Preventiva: o que é prevenção de verdade?......108

Genes × ambiente......111

A fonte da juventude existe?......114

Os Quatro Cavaleiros do Apocalipse da saúde......116

CAPÍTULO 7: Medicina Proativa: você no comando......120

Vestindo saúde......123

O "Waze" dos hospitais......126

Proatividade não é novidade......129

Guardiões da saúde...130

Inspire-se nas Zonas Azuis..132

CAPÍTULO 8: Medicina Personalizada:

cada indivíduo é único..**136**

Um órgão injustamente esquecido.....................................140

Meu transplante fecal...143

Batismo vaginal...148

Regando o seu jardim..149

CAPÍTULO 9: Medicina Parceira: o médico amigo

e curador de dados..**156**

Lado a lado..159

Novos desafios..164

CAPÍTULO 10: A reinvenção da Medicina..........................**168**

Novas habilidades…..171

… e especializações..175

De paciente a "agente"...176

CAPÍTULO 11: O amanhã é agora.....................................**188**

O fim dos hospitais...191

Descomplicando a Medicina..195

Pandemia de Covid-19:

a Medicina do amanhã mostra a que veio.........................196

Medicina do amanhã: sonho ou realidade?.......................198

NOTAS...**200**

PREFÁCIO DE LEANDRO KARNAL

"Nenhuma cousa se pode prometer à natureza humana mais conforme ao seu maior apetite, nem mais superior a toda a sua capacidade, que a notícia dos tempos e sucessos futuros."

Padre Antônio Vieira[*]

A CIÊNCIA E O FUTURO DA VIDA

Nosso aclamado "imperador de língua", Padre Antônio Vieira, escreveu uma História do futuro. Misturando reflexão e profecia, o genial jesuíta tratou da seguinte contradição: como se pode fazer história (algo ligado ao passado) sobre aquilo que ainda não ocorreu (o futuro)? Em parte, a análise do escritor português é sobre nosso desejo de controle e conhecimento das descobertas do futuro. Ele profetizou: "Como é inclinação natural no homem apetecer o proibido e anelar ao negado, sempre o apetite e a curiosidade humana estão batendo às portas deste segredo, ignorando sem moléstia muitas cousas das que são, e afetando impaciente a ciência das que hão de ser".[**]

---

[*] VIEIRA, A. **História do futuro**. Belém: Unama. Disponível em: http://www.dominiopublico.gov.br/pesquisa/DetalheObraForm.do?select_action=&co_obra=17328. Acesso em: 7 dez 2020.

[**] *Ibidem.*

Ciência das coisas que ainda não ocorreram? Talvez seja uma das grandes tentações humanas. O dr. Pedro Schestatsky tem uma vida dedicada ao olhar empírico e crítico em resposta a Medicina que possui por hábito adestrar seus estudiosos. Pesquisando e clinicando, o autor percebeu que havia problema humano e também financeiro, em uma medicina que pensava apenas na resolução de doenças já instaladas. Faltava estratégia. Faltava um paradigma que superasse a tradição hipocrática.

Uma Medicina preditiva que desperte a capacidade de aumentar atitudes profiláticas. Uma medicina que previna as doenças crônicas. Uma atitude proativa e personalizada, indicando a individualidade prática para cada paciente. Por fim, parceira que evite a opressão pelo saber esmagador de uma autoridade externa e alheia à sensibilidade individual do paciente. Em resumo, nos cinco princípios, um novo modelo de pensar saúde e doença.

Somos únicos, sempre pensamos assim. Porém, muitas vezes, o olhar médico pensa em categorias amplas e coletivas. Aprendi lendo o texto, inclusive, que uma das minhas digitais é o meu intestino e que minha flora intestinal deve ser pensada com a seriedade com que defendemos belas flores tropicais. Surgiria um tipo de "consciência ecológica das tripas"?

Os médicos foram bem treinados para analisar a doença do paciente. Eles realizam anamnese, verificam sintomas, auscultam, elaboram perguntas e solicitam exames. A Medicina analisada na obra de Pedro Schestatsky não nega a importância de tais procedimentos. Porém, de tanto tratar incêndios, começou-se a busca de atitudes preventivas antes do fogo se instalar. Do modelo de "pai onisciente" que educa e critica ações de filhos buliçosos, o livro pede que os médicos sejam verdadeiros parceiros na luta em comum. É uma revolução e, como todo movimento de ruptura profunda, pede que as cabeças mudem para que as ações sigam o pensamento.

Há duas áreas que viveram aumentos dramáticos de conhecimento: Medicina e o mundo dos computadores. Uma coisa, inclusive, alimenta a outra. O avanço da quantidade e dos tipos de saberes estimula a questão da prevenção (primária, secundária e terciária) para que cada ser humano tenha um acompanhamento único especial, personalizado e... plenamente eficaz.

Um médico busca a vida plena como meta. O livro traz a análise das "zonas azuis" do planeta, as áreas nas quais as pessoas, em média, vivem mais e melhor. O que fazem aquelas populações, o que está contido no seu meio ambiente, quais as práticas que pessoas da ilha da Sardenha ou de uma parte do Japão têm que explique este sucesso? Como imitar boas condutas e ampliar para toda humanidade uma vida longeva e mais feliz? Este é parte do pensamento do livro. Procura-se, aqui, o que temos no presente, a análise do visível e verificável. Há chance de um futuro melhor àqueles que não se encontram em uma *blue zone*?

O livro que você tem diante de si trata da Medicina do amanhã. Não nasceu de um delírio, todavia da observação do presente com dados e a percepção de deficiências do que fazemos. Assim, se muda um paradigma científico. O novo pensamento é um desafio para superar modelos antigos e que já não atendem às demandas do século XXI. Assim, se você é humano e está vivo, o livro é estratégico. Existem dados históricos para afirmar que 18 bilhões de seres humanos já existiram neste planeta até hoje. Alegre-se: entre tantos, você é a primeira geração que pode pensar o bem-estar de amanhã e não mais, apenas, o saneamento dos erros de ontem. Paramos de pensar na morte tão somente e temos a chance de viver a vida. Não é um bom motivo para nosso entusiasmo?

APRESENTAÇÃO DE MARIANA FERRÃO

Pense em uma pessoa empolgada — e não digo uma pessoa que está feliz por ter ganhado um prêmio ou promoção, por ver seu time sendo campeão ou por ter, finalmente, conseguido quitar a tão sonhada casa própria.

Quero que você imagine alguém que decidiu se agarrar à empolgação como motor da vida, descobrindo um caminho que faz sentido e, assim, saindo do banco de passageiro e assumindo o banco do motorista da própria história. Uma pessoa que tem a vibração na voz e no andar e que não nega nem teme a verdade, porque não apenas enxerga a realidade como ela é, mas é capaz de senti-la na própria pele.

Esse alguém que você está imaginando agora, caro leitor, para mim, é o Pedro.

Um médico talhado para ser professor, que estudou até finalmente passar no concurso para ingressar como docente na Universidade Federal de Medicina do Rio Grande do Sul e descobriu, em seu exame admissional, que estava doente, apesar de não ter sintomas.

Um médico até então frustrado porque percebia que as práticas tradicionais aprendidas na faculdade não estavam fazendo o efeito desejado em seus pacientes. Então, para quem queria ser professor, havia chegado o momento de Pedro aprender. O que estava dando errado? Por que nada parecia estar funcionando?

A estrada da busca por respostas levou Pedro à Medicina funcional, às práticas meditativas e às tecnologias que devolvem ao paciente as rédeas da sua própria saúde.

Esse novo conhecimento foi agrupado na Medicina 5Ps, que está na primeira parte do livro: uma Medicina Preditiva, Preventiva, Proativa, Personalizada e Parceira.

E para Pedro apenas a teoria não bastava: ele nos deu de presente, junto à Medicina 5Ps, o MAP, um método superbem descrito na segunda parte do livro, que engloba os pilares essenciais da saúde humana – Movimento, Alimento e Pensamento.

E se tem algo que o Schestatsky faz bem é colocar em prática aquilo que prega: como todo inquieto, os compartimentos do seu cérebro não conseguem ficar estanques, cada um no seu canto, então tudo que Pedro aprendeu ao longo de sua jornada, ele agora ensina a seus alunos na Faculdade de Medicina – ensinamentos importantes sobre como andar por uma sala olhando nos olhos de quem está com você, como se movimentar respeitando o espaço do outro e, principalmente, como enxergar o ser humano que mora por de trás de cada paciente.

Pedro, além de médico e professor dedicado, também é pai presente. Em **Medicina do amanhã** você irá descobrir qual prática inovadora Pedro e Tatiane adotaram no nascimento de Lucas, qual procedimento Pedro se submeteu em sua busca de criar saúde – cujos resultados foram amplamente divulgados pela imprensa do Rio Grande do Sul – e muito mais!

E quando o assunto é imprensa, posso afirmar o quanto Pedro a adora. Ou melhor, o quanto adora os jornalistas. Nos conhecemos em 2018 no programa *Bem-Estar* da Rede Globo – e o episódio que já era curto passou ainda mais rápido com a efervescência dele. Em uma de nossas conversas ele me disse que acha que jornalistas são os melhores de todos os médicos porque sabem ouvir, sintetizar e verbalizar de maneira clara as informações que os pacientes tanto precisam.

Eu fico muito feliz de poder responder essa afirmação agora, em seu livro, junto a você, caro leitor: Pedro, você só se esqueceu de que nós, jornalistas, não entendemos nada de Medicina! Espalhar a Medicina 5Ps e o método MAP é a sua missão.

E se você perguntar se ele está satisfeito, tenho certeza de que dirá: "Nunca vou me contentar com as verdades jogadas goela abaixo da indústria alimentícia e farmacêutica, por isso ainda não acabei".

Toda essa jornada de Pedro Schestatsky o trouxe até aqui, até este livro que está em suas mãos, em que ele compartilha todo o seu conhecimento para ajudar você a se tornar protagonista da sua saúde. Eu tenho certeza de que, após a sua leitura, você não vai querer apenas acompanhar o Pedro de perto em sua jornada, mas também sentir e aprender tudo o que ele aprendeu ao longo de sua jornada.

Enfim, convido você a ler **Medicina do amanhã**, e digo com todas as letras: ainda bem que durante uma palestra esse médico tão eclético foi incentivado a virar escritor e compartilhar o que sabe. Viva!

INTRODUÇÃO

VOCÊ, DONO DA SUA SAÚDE

Antes que você comece a ler este livro, saiba que, apesar de médico, já fui um desses pacientes assintomáticos, cujo organismo funcionava como uma bomba-relógio prestes a "explodir" de uma hora para outra. Tudo começou após meu exame admissional para me tornar professor de Medicina na Universidade Federal do Rio Grande do Sul lá pelos idos de 2013, que apresentou resultados alarmantes para alguém com menos de 40 anos na época. Realmente, ter saúde" é diferente de "não ter doenças". O conceito de saúde, segundo a Organização Mundial da Saúde (OMS), é definido como "um estado de completo bem-estar físico, mental e social e não somente ausência de afecções e enfermidades".[1] Ele foi introduzido nos anos 1940 e, de modo geral, continua aceito e divulgado até os dias atuais. Contudo, a meu ver, merece uma atualização, visto que enfatiza apenas o presente. Não leva em conta, por exemplo, que alguns sinais podem predizer, desde cedo, uma mudança dessa condição mais adiante, mesmo que o paciente não apresente nenhum sintoma agora. Hipertensão, diabetes e câncer são algumas das doenças "silenciosas" que podem levar anos para nos incomodar.

Não é à toa, portanto, que o sistema de saúde que conhecemos, fundamentado principalmente no tratamento de doenças (em vez da prevenção delas), tem se mostrado um mau negócio nos últimos anos, tanto do ponto de vista humanitário quanto do financeiro. Afinal, nunca se gastou tanto por tão pouco em troca. Um relatório da ONG Our World in Data[2] mostrou que os Estados Unidos, por exemplo, investem mais em saúde do que qualquer país no mundo – e nem por isso as pessoas vivem por mais tempo. Aliás, por lá, a expectativa de vida é menor do que em outros países onde se gasta menos nessa área. A análise indica que, no início da década de 1970, quando a expectativa de vida do norte-americano era de 70 anos, os gastos com saúde por cada cidadão eram de 1.450 dólares por ano. Na mesma época, em Portugal, esses gastos giravam em torno de 237 dólares e a expectativa de vida era de aproximadamente 67 anos.

Atualmente, os portugueses vivem em média 81 anos e os investimentos anuais em saúde, por pessoa, giram em torno de 2.300 dólares. Já os norte-americanos vivem menos – em média 78 anos – e gastam quase quatro vezes mais com saúde a cada ano (aproximadamente 8.700 dólares).

É fato que, nas últimas décadas, a expectativa de vida aumentou vertiginosamente também por aqui. Atualmente, de acordo com os últimos dados do Instituto Brasileiro de Geografia e Estatística (IBGE),[3] a estimativa é de 76 anos – quase 22 a mais do que a de

INTRODUÇÃO: Você, dono da sua saúde

uma pessoa nascida no país na década de 1960, época em que alguém com mais de 45 anos já poderia se considerar um "velho" sortudo. A explicação para esse aumento de sobrevida está na melhoria das condições sanitárias, na criação de unidades de terapia intensiva, além das descobertas científicas que marcaram os últimos séculos – da primeira vacina (1796)[4] à descoberta do DNA (1953),[5] todas, de alguma maneira, deram sua contribuição para que pudéssemos viver mais. No entanto, pela primeira vez na história da humanidade, alguns estudos mostram que nossos netos correm o risco de morrer mais jovens do que as gerações anteriores. É o que sugere um artigo publicado no renomado jornal científico *The New England Journal of Medicine*.[6]

Parece contraditório estarmos na fronteira da descoberta da imortalidade e ao mesmo tempo nos depararmos com uma informação como essa, não? Conforme a análise, o aumento constante da esperança de vida nos Estados Unidos dos últimos dois séculos pode chegar ao fim em breve. Como resultado dos elevados índices de obesidade e de suas complicações, como o diabetes, essa estimativa provavelmente vai se nivelar ou mesmo cair ainda na primeira metade deste século. Não há pesquisas similares ainda no Brasil, porém, vale lembrar que a obesidade também é um problema crescente por aqui: em dez anos, o aumento foi de 60% e, hoje, um em cada cinco brasileiros está acima do peso, segundo o Ministério da Saúde.[7] E acredito que, além dos quilos extras, outros aspectos que caracterizam o estilo de vida dos grandes centros urbanos, como o sedentarismo e o estresse, também vão influenciar nessa conta. O fato é que, pela primeira vez na história, talvez os filhos viverão menos do que seus pais.

A SAÚDE NÃO ESTÁ
NOS CONSULTÓRIOS

Parte disso, a meu ver, deve-se ao paternalismo consagrado por Hipócrates, o pai da Medicina, no século V a.C. Explico: de acordo com esse modelo, o médico é o poderoso detentor da informação sobre a saúde do paciente, que, de forma passiva, obedece àquela autoridade. "Aplicarei os regimes para o bem do doente segundo o meu poder e entendimento, nunca para causar dano ou mal a alguém", diz o juramento de Hipócrates,[8] que os novos médicos repetem em voz alta no dia da formatura. A parte de "nunca causar dano", obviamente, ainda faz sentido. Sem desmerecer a importância de Hipócrates para a Medicina, no entanto, vamos combinar que muita coisa mudou nos últimos 25 séculos. E uma delas diz respeito à autonomia do paciente, que tem todo o direito de fazer suas próprias escolhas. Parece óbvio? Na teoria, talvez, mas, na prática, nem tanto. Porque, de certa forma, esse paternalismo cria uma relação cômoda para ambas as partes. Se, por um lado, o médico não tem suas regras questionadas, por outro, o paciente não precisa se responsabilizar pelos resultados.

Posição também vantajosa para as indústrias alimentícia e farmacêutica, duas parceiras históricas que colaboram para a perpetuação dessa dinâmica insustentável. Uma fornece o "veneno", ao passo que a outra, o "antídoto", como a ligação entre o açúcar e o diabetes. De acordo com uma pesquisa feita por pesquisadores franceses, publicada no periódico científico British Medical Journal,[9] o consumo de bebidas açucaradas como refrigerantes e sucos adoçados artificialmente aumenta o risco do desenvolvimento de certos tipos de câncer – como de mama, próstata e intestino. Nesse contexto, talvez os sanduíches das redes de fast-food já deveriam vir salpicados de anti-inflamatórios, saborizados com anti-hipertensivos e embalados em antiácidos. Enquanto isso, milhões de pessoas (ou melhor, consumidores) aguardam na "fila de espera" do adoecimento para usufruírem de todos os produtos milagrosos que a Medicina tradicional disponibiliza (CTIs, transplantes, medicamentos...). Esse cenário, no entanto, não vai mudar enquanto não mudarmos também nossa maneira de pensar e de agir, tanto dos médicos quanto dos pacientes.

Por essa razão, proponho um conceito mais abrangente do que o preconizado pela OMS: em vez de apenas ter, por que não nos concentramos em criar saúde? Isso significa, em resumo, retomar o controle de sua saúde. Porque a saúde não está nos consultórios, nem nos remédios ou cirurgias. Encontra-se em sua casa – especialmente na cozinha –, em suas atitudes e decisões. É sua responsabilidade. E quem aí não está cansado de depender de convênios médicos, do sistema público de saúde ou de "pílulas mágicas"? A figura do paciente passivo, que apenas segue as ordens do grande detentor do conhecimento – o médico –, está com os dias contados. A ideia é que, a partir de agora, ele se torne cada vez mais responsável pela sua saúde, facilitando e aprimorando o trabalho dos médicos.

A MEDICINA DAQUI PRA FRENTE

E não se preocupe, pois, para tornar-se mais engajado, você tem hoje muitas ferramentas a seu favor. A primeira delas é o conhecimento, que apelidei de "infoterapia". O fácil acesso a pesquisas, terapias, aplicativos e outras novidades no setor, a um clique de distância, dá ao paciente a oportunidade de debater com o profissional

SEM DESMERECER A IMPORTÂNCIA DE HIPÓCRATES PARA A MEDICINA, NO ENTANTO, VAMOS COMBINAR QUE MUITA COISA MUDOU NOS ÚLTIMOS 25 SÉCULOS. E UMA DELAS DIZ RESPEITO À AUTONOMIA.

de saúde com maior conhecimento de causa, o que de modo nenhum diminui a função deste, pois cabe a ele a distinção entre o que é falso e o que é verdadeiro.

A segunda é a tecnologia. Não aquela do laboratório ou da sala de cirurgia robótica, mas a que faz parte do dia a dia de qualquer paciente que tenha um celular (ou um aparelho similar) à disposição. Como a dos biossensores, que, conectados aos celulares por *bluetooth* (rede sem fio), são capazes de monitorar a glicose, a frequência cardíaca, o sono, o número de passos diário, o gasto calórico etc. E de outras tecnologias mais consagradas e cada vez mais acessíveis, como o mapeamento do genoma e do microbioma (conjunto de microrganismos que residem no corpo) humano. Todos esses dados serão interpretados pelo médico, uma vez que todo mundo vai preferir alguém de confiança para saber

INTRODUÇÃO: Você, dono da sua saúde

o que fazer com essas informações, não é mesmo? E assim como ocorreu em diversas áreas – das indústrias aos setores de serviços –, inovações tecnológicas vão liberar o médico da burocracia (como o preenchimento de formulários e papéis de convênios, que já podem ser feitos de maneira autônoma) para que ele ganhe mais tempo para se dedicar ao que realmente faz diferença: ouvir, olhar e tocar o paciente.

Para guiar profissionais e pacientes nesse processo, desenvolvi um método inspirado na chamada Medicina de Precisão, com medidas terapêuticas mais individualizadas e, por consequência, efetivas. Desse modo, as cinco etapas que vou apresentar a seguir (e com maior profundidade ao longo deste livro) definem como deve ser, em minha opinião, a Medicina do amanhã (ou simplesmente dos 5 Ps):

1. **Preditiva**: por meio de uma revisão de dados clínicos e laboratoriais, identifica (ou seja, prediz) males em potencial e, assim, engaja o paciente em atitudes preventivas.

2. **Preventiva**: concentra-se na prevenção de doenças crônicas, como diabetes, hipertensão e doenças autoimunes, que são a maior causa de morte – representam 63% delas –[10] e perda de qualidade de vida na atualidade.

3. **Proativa**: em vez de esperar o paciente ficar doente para "atuar", busca tendências e fatores de risco sutis de cada indivíduo com o intuito de prevenir doenças, agindo, e não somente reagindo.

4. **Personalizada**: considera as particularidades de cada indivíduo; por isso, cada pessoa deve ter dieta, exercícios e exames periódicos específicos, de acordo com informações pessoais.

5. **Parceira**: o médico não é mais a única autoridade, até porque essa posição muitas vezes inibe o paciente de falar de seus

problemas. Os dados gerados por ele, com o apoio da tecnologia, vão fazer com que ambos aprendam e caminhem juntos rumo à criação da saúde.

Ao longo deste livro, você também vai aprender a aplicar a Medicina dos 5 Ps no dia a dia, com base nas últimas pesquisas e evidências científicas, ficar por dentro de ferramentas de autocuidado (tanto as tradicionais quanto as de última geração, chamadas de disruptivas) e conhecer histórias inspiradoras, não só de pessoas que sofreram na pele os efeitos da Medicina tradicional, como também de outras que passaram a viver mais e melhor. Enfim, tudo o que precisa saber para romper com o modelo de Medicina atual, transformar-se em protagonista de sua saúde e, por que não, desafiar as estatísticas. E aí, que tal seguir comigo nesta jornada de aprendizado e autoconhecimento em direção ao futuro?

A SAÚDE NÃO ESTÁ NOS CONSULTÓRIOS, NEM NOS REMÉDIOS OU CIRURGIAS. ENCONTRA-SE EM SUA CASA – ESPECIALMENTE NA COZINHA –, EM SUAS ATITUDES E DECISÕES.

CAOS NA SAÚDE EM PLENA QUARTA REVOLUÇÃO INDUSTRIAL

A partir de 1700, a máquina a vapor marcou a passagem da produção manual à mecanizada. Um século depois, a energia elétrica foi fundamental para o surgimento da produção em massa. Nos anos 1960, a computação e, logo na sequência, nos anos 1990, a internet, agilizaram o processamento de dados, dando início à Era da Informação. E agora, chegou a vez dos robôs, que, integrados a sistemas que ligam o mundo virtual e o real, estão transformando a maneira como vivemos, trabalhamos e nos relacionamos – a uma velocidade sem precedentes. Chamado de Quarta Revolução Industrial,[1] esse novo período na história da humanidade (**Figura 1**), ao unir tecnologias digitais, físicas e biológicas, trouxe inúmeras promessas a todos os tipos de indústrias, incluindo a da saúde. Era de esperar, então, que tamanha revolução nos tornasse pessoas mais fortes, longevas e saudáveis, certo? Mas não foi isso que aconteceu. As doenças que mais matam poderiam ser prevenidas, como você vai ver a seguir, mas o consumo de medicamentos aumenta a cada ano – um verdadeiro caos. Para chegar lá, então, precisamos antes quebrar alguns paradigmas antigos.

O primeiro deles, que vou me aprofundar ao longo deste capítulo, é o paradigma da "terceirização da saúde", ou seja, o que ocorre quando sua saúde fica na dependência de médicos, de sistemas de saúde e da indústria farmacêutica. Em outras palavras, é a ilusão da pílula mágica para tratar qualquer doença, de uma simples dor de cabeça a um problema complexo como a obesidade. Os números confirmam: os gastos mundiais com medicamentos alcançaram a marca de 1,2 trilhão de dólares em 2018.[2] E o Brasil representa uma parcela importante disso, visto que o país ocupa o sexto lugar no ranking dos mercados farmacêuticos, atrás apenas dos Estados Unidos, da China, do Japão, da Alemanha e da França. Existe uma farmácia para cada mil habitantes, mais do que o dobro do indicado pela OMS.[3] Quais razões impulsionam essas estatísticas e afastam o paciente de sua responsabilidade de cuidar de si?

A INDÚSTRIA FARMACÊUTICA E SEUS TRUQUES

Como parte de uma das indústrias que mais faturam no mundo, evidentemente o foco dos fabricantes de medicamentos é o lucro. Afinal, têm de prestar contas a seus investidores. Assim, para "vender seu peixe", as empresas lançam mão de estratégias de marketing a fim de alcançar seu público-alvo, ou seja, você. A melhor saída é enganar seu cérebro para induzi-lo a comprar. Essa junção da ciência com a publicidade se

CAPÍTULO 1: Caos na saúde em plena Quarta Revolução Industrial

chama neuromarketing. Ele se baseia principalmente no fato de que o cérebro humano, embora represente de 2% a 5% do peso corporal, consome, em média, 20% da glicose e do oxigênio do organismo. Mesmo em repouso, ele pode gastar até 350 calorias em 24 horas.[4] Mas o que isso tem a ver com comprar remédios?

Quando vivíamos nas cavernas, sem a abundância de alimentos que temos hoje, queimar energia à toa poderia ser fatal. Por isso, o cérebro evoluiu de modo que evitasse qualquer "desperdício". A preservação da energia também ocorre, é claro, no momento de tomar decisões. Funciona assim: o processamento de informações do cérebro trabalha com dois sistemas operacionais, o sistema 1 e o sistema 2.* O primeiro trabalha no "piloto automático", digamos assim, e toma decisões rapidamente com base em experiências anteriores. Já o segundo é responsável pelo pensamento racional e consciente. Como o sistema 1 demanda menos energia para entrar em ação, sobra para ele a maior parte das nossas decisões – como levar ou não aquele relaxante muscular que chamou sua atenção na fila da farmácia. Os publicitários sabem muito bem disso e usam várias técnicas surpreendentes para se comunicar com nossos cérebros no "modo automático", porque assim aumentam as nossas chances de comprar sem pensar muito. No entanto, isso não é o suficiente para que bilhões de caixas de medicamentos sejam vendidas todos os anos – para ser mais exato, foram 4,4 bilhões delas em 2017, segundo a Agência Nacional de Vigilância Sanitária (Anvisa).[5]

A legislação brasileira impõe diversas restrições à publicidade de remédios. Somente os de venda livre, isto é, os isentos de prescrição, podem ser anunciados ao consumidor comum. É o caso dos

---

* Esta é a teoria dos psicólogos Amos Tversky e Daniel Kahneman, que rendeu o Prêmio Nobel de Economia, em 2002, a Kahneman (Tversky morreu alguns anos antes) e ficou famosa no livro *Rápido e devagar: duas formas de pensar*, publicado pela Editora Objetiva, em 2012.

> **QUANDO VIVÍAMOS NAS CAVERNAS, SEM A ABUNDÂNCIA DE ALIMENTOS QUE TEMOS HOJE, QUEIMAR ENERGIA À TOA PODERIA SER FATAL. POR ISSO, O CÉREBRO EVOLUIU DE MODO QUE EVITASSE QUALQUER "DESPERDÍCIO".**

medicamentos para tratar sintomas, tais como analgésicos, antitérmicos e antináuseas, por exemplo. Já a publicidade dos demais, que vêm com a advertência "venda sob prescrição médica" na embalagem, só pode ser direcionada aos médicos, o que gerou uma relação delicada entre médicos e indústria farmacêutica.

Os bastidores dessa relação foram bem descritos pela médica norte-americana Marcia Angell no livro *A verdade sobre os laboratórios farmacêuticos*.[6] Para a autora, que foi editora-chefe do *New England Journal of Medicine* e, atualmente é professora sênior do Departamento de Saúde Global e Medicina Social da Harvard Medical School (Estados Unidos), o maior prejudicado nessa história é o paciente. Angell afirma, em uma entrevista à revista *Superinteressante*,[7] na época da publicação de seu livro, em 2006, que:

CAPÍTULO 1: Caos na saúde em plena Quarta Revolução Industrial 39

A indústria farmacêutica gasta dezenas de bilhões de dólares para seduzir os médicos oferecendo viagens e congressos. E o pior, muitas vezes fazem isso fingindo que os estão educando. O resultado dessa convivência é que os médicos reforçam um estilo de medicina baseado em remédios. E mais: que medicamentos recém-lançados, normalmente mais caros, são melhores do que os antigos, ainda que não haja qualquer evidência científica que sustente essa ideia. Mesmo assim, alguns médicos são facilmente convencidos de que para cada queixa há um medicamento milagroso. Antes fosse.

Não há como discordar.

De lá para cá, parece que esse cenário não sofreu muitas mudanças, como mostra uma revisão de estudos publicada no site *BMJ Open*,[8] uma das publicações do *British Medical Journal*. Baseado em pesquisas realizadas entre 1992 e 2016, o relatório aponta que a interação entre médicos e representantes de venda da indústria farmacêutica afeta, de fato, o comportamento do profissional na hora de prescrever medicamentos e aumenta a chance de que este recomende o remédio da empresa anunciante. Se essa estratégia de marketing não funcionasse, ela não seria usada ainda hoje, não é mesmo?

Em sua defesa, a indústria farmacêutica estima que um novo remédio exige bilhões de dólares em investimentos e pesquisa até chegar ao consumidor. Logo, teria de reinvestir parte do lucro em propaganda ou seja, porque gasta bilhões em pequisa, gasta em marketing para ter um rápido retorno financeiro. A transparência nesse processo, aliás, é uma exigência atual da Organização Mundial da Saúde (OMS).[9] No entanto, o valor exato do quanto custa cada nova pílula anunciada na gôndola da drogaria de seu bairro parece ser menor do que o alardeado. Segundo levantamento divulgado no *JAMA Internal Medicine* (uma das publicações da Associação Médica Americana), em alguns casos, os lucros podem ser até dez vezes maiores que o custo.[10] Falaremos mais sobre a transparência dos preços de medicamentos no **Capítulo 10**.

A CONVENIÊNCIA DAS PÍLULAS

Veja bem, não é uma questão de demonizar os medicamentos. Eles desempenham papel importante na saúde – as vacinas, só para citar um exemplo, ajudam a fortalecer a imunidade e a evitar doenças sérias. Usar remédios, portanto, não é ruim, mas usá-los sem necessidade, é. No entanto, convenhamos, tomar uma pílula para solucionar um problema é conveniente: dá a sensação de que você já fez a sua parte e agora basta esperar a cura. Simples assim. Aqui, novamente, a mania do cérebro de economizar energia influencia esse comportamento. Como ele gosta de resolver tudo automaticamente, quanto mais rápida a saída, melhor. Somado a isso, existe também uma questão cultural. Hoje, todo mundo quer ser feliz o tempo todo. Vivemos a era da felicidade compulsiva e compulsória – e tem de ser aqui e agora.[11] Nesse cenário, obviamente, a dor e a tristeza devem ser evitadas a qualquer custo. E o advento das redes sociais reforça esse comportamento.

E se você gosta de sair do consultório com uma prescrição na mão, fique sabendo que, em muitos casos, o hábito pode ser conveniente para o médico também. Como assim? Não há por aqui regulamentação acerca do tempo que deve durar uma consulta, mas o Manual de Auditoria de Atenção Básica do Ministério da Saúde considera quinze minutos uma duração aceitável de consulta no sistema público.[12] Será mesmo que nesse intervalo dá para conversar com o paciente,

A INDÚSTRIA FARMACÊUTICA GASTA DEZENAS DE BILHÕES PARA SEDUZIR MÉDICOS OFERECENDO VIAGENS E CONGRESSOS. E O PIOR, MUITAS VEZES FAZEM ISSO FINGINDO QUE OS ESTÃO EDUCANDO.

examiná-lo, avaliar seus exames e, ainda, se necessário, pedir outros, prescrever medicamentos e explicar como e quando ele deve tomá-los? Esse também é um obstáculo na rede particular, especialmente entre os médicos credenciados a planos de saúde que pagam (muito pouco) por atendimento. Como o médico é pago por cada consulta e/ou procedimento, quanto mais pacientes ele atende, mais recebe. Esse modelo, que é conhecido mundo afora pelo nome em inglês *fee-for-service*,* tem sido apontado como uma das causas mais importantes do fracasso dos sistemas de saúde, e formas alternativas de remuneração já estão sendo implementadas em alguns centros (assunto que vamos abordar com mais detalhes no **Capítulo 4**).[13] Quando há uma fila enorme para atender lá fora e, durante a conversa, o especialista ainda tem de preencher diversos formulários, a prescrição da receita é uma maneira de abreviar a consulta. Afinal, o médico já cumpriu sua função "principal" ali. Próximo paciente!

O tempo gasto para atender um paciente influencia, e muito, a recuperação dele. A cada um minuto extra de consulta, ocorre uma redução de 16% da chance de readmissão hospitalar.[14] Provavelmente porque, com mais tempo à disposição, o profissional tem a oportunidade de fazer exames e condutas mais detalhadas e preventivas. Não são só medicamentos que os pacientes buscam, afinal. Além de escutados, eles também querem ser tocados. Uma pesquisa com 1,2 mil pessoas mostrou que cerca de 70% dos pacientes manifestaram desejo de serem examinados periodicamente.[15] Vale ressaltar que o toque na pele estimula a produção de ocitocina no corpo, também chamada de hormônio do amor e relacionada à sensação de prazer e bem-estar no organismo.

---

*   O *fee-for-service*, que é traduzido pela Agência Nacional de Saúde como "pagamento por procedimento", é o tipo de remuneração predominante entre planos e seguros privados de assistência médica. Nesse sistema, o profissional recebe por consulta/atendimento ou procedimento realizado, por isso esse sistema também é conhecido como modelo de conta aberta.

CAPÍTULO 1: Caos na saúde em plena Quarta Revolução Industrial

Não é à toa que o contato pele a pele da mãe com o recém-nascido prematuro, popularmente conhecido como "método canguru", promove o ganho de peso e reduz infecções.[16]

As consultas "relâmpago" criam, ainda, relações superficiais entre médicos e pacientes e colocam os profissionais na defensiva. Prova disso é o alto número de processos judiciais no Brasil. Atualmente, eles já atingem 7% dos médicos.[17] Nos Estados Unidos, conhecido como um país onde qualquer coisa costuma ser levada aos tribunais, o índice é de 9%, para você ter uma ideia. Nesse cenário, nenhum especialista quer se arriscar, e isso explica o número astronômico de solicitações de exames e tratamentos desnecessários. Como resume o pesquisador e analista de riscos líbano-americano Nassim Nicholas Taleb no livro *A lógica do cisne negro: o impacto do altamente improvável*:[18]

> Presuma que um medicamento salve muitas pessoas de um mal potencialmente perigoso, mas corra o risco de matar algumas delas, com um benefício líquido para a sociedade. Será que um médico o receitaria? Ele não tem incentivo para fazer isso. Os advogados da pessoa prejudicada pelos efeitos colaterais atacarão o médico como cães de briga, enquanto as vidas salvas pelo medicamento podem não ser jamais levadas em consideração.

DA TERCEIRIZAÇÃO À AUTONOMIA

Ah, bom, entendi. Então quer dizer que a culpa não é minha? Além da poderosa indústria farmacêutica, os médicos é que são os responsáveis pelo consumo excessivo de medicamentos nos dias de hoje. Isso sem falar da cobrança da sociedade, segundo a qual tenho de estar sempre sorrindo, mesmo que à base de remédios para ansiedade e depressão.

O TEMPO GASTO PARA ATENDER UM PACIENTE INFLUENCIA, E MUITO, A RECUPERAÇÃO DELE. A CADA UM MINUTO EXTRA DE CONSULTA, OCORRE UMA REDUÇÃO DE 16% DA CHANCE DE READMISSÃO HOSPITALAR.

Quem sou eu para lutar contra todos? Não é bem assim. Existe um meme que circula pelas redes sociais – talvez você já o tenha recebido pelo WhatsApp – que responde bem a essa pergunta. Na charge (**Figura 2**), há duas filas. A primeira oferece medicamentos e cirurgias. Já a segunda, mudanças no estilo de vida. Adivinha qual é a fila mais longa?

AUTOMEDICAR-SE NÃO É SER MÉDICO DE SI MESMO

Se houvesse uma terceira fila, para oferecer remédios sem a exigência de uma consulta médica, ela estaria mais longa ainda. Mesmo com o acesso fácil a pesquisas e notícias sobre os efeitos adversos

CAPÍTULO 1: Caos na saúde em plena Quarta Revolução Industrial — 45

dos medicamentos (estamos na Era da Informação, lembra?), boa parte dos pacientes ignora os riscos da automedicação, ou prefere fingir que não sabe. Vou lembrar os mais perigosos aqui. O primeiro e mais óbvio é o perigo da intoxicação. Os medicamentos respondem pela maioria (33%) dos casos de intoxicação,[19] e as principais vítimas são idosos e crianças. O número é mais que o dobro dos atendimentos em virtude de picadas de animais peçonhentos e ingestão de produtos químicos.

Outra consequência da automedicação, não tão rara assim, é o vício. E até mesmo remédios para dor, como analgésicos e anti-inflamatórios, que não causam dependência, tendem a fazer mal com o uso crônico. Por último está o risco de a medicação mascarar diagnósticos mais graves. Por exemplo, dores nas pernas são indícios tanto de diabetes quanto de trombose (com risco de amputação imediata), algo que o paciente pode descobrir tarde demais. Concordo, porém, que buscar ajuda profissional demanda não apenas dinheiro, mas também tempo e paciência. Se você mora em um grande centro, teve de atravessar a cidade – porque só conseguiu marcar uma consulta com um profissional de seu convênio médico em outro bairro –, aguardou meia hora para ser atendido e a consulta durou cerca de dez minutos, na qual recebeu a indicação de um anti-histamínico que já toma há anos, por que vai se submeter a tudo isso novamente, uma vez que já sabe o resultado? A meu ver, é por isso que todo mundo acaba se rendendo à automedicação, uma vez ou outra. Ou quase sempre, visto que 79% dos brasileiros têm esse hábito.[20]

Por outro lado, e se eu lhe contar que a maioria das dez doenças que mais matam no mundo podem ser prevenidas – ou pelo menos adiadas – sem remédios, "apenas" com mudanças no estilo de vida? No topo da lista, estão as doenças cardiovasculares (representam

31% de todos os óbitos em nível global),[21] que lideram o ranking há pelo menos quinze anos. Uma alternativa, nesse caso, seria abordar os fatores comportamentais de risco: tabagismo, alimentação não balanceada, falta de atividade física e uso nocivo de bebidas alcoólicas etc. O câncer também faz parte da relação e pode ser que suba alguns patamares nas próximas décadas, caso nenhuma medida seja tomada: a mortalidade deve crescer de 9,6 milhões de pessoas, atualmente, para 16,3 milhões, em 2040, no Brasil.[22]

Falaremos mais sobre prevenção e "compressão da morbidade" (processo que retarda, o máximo possível, o surgimento de doenças crônicas e suas complicações), mas quero adiantar, desde agora, que esse cenário favorável à terceirização da saúde começou a mudar. Em 2019, o norte-americano John Kapoor, fundador da empresa farmacêutica Insys Therapeutics, foi o primeiro chefe da indústria farmacêutica a ser condenado em um processo criminal. Ele e mais quatro colegas foram considerados culpados por pagar propinas a médicos para que prescrevessem analgésicos opioides (tais como morfina e derivados) a pacientes que não precisavam desses medicamentos. Isso teria viciado milhares de pessoas e, por consequência, gerado a atual "epidemia" desse tipo de remédio nos Estados Unidos.[23] Como disse, já é um começo.

Paralelamente, a Quarta Revolução Industrial, que citei no início deste capítulo, vai possibilitar que médicos e pacientes concentrem seus esforços (como parceiros, de preferência) não apenas no tratamento de doenças, como também na criação da saúde. Tomar remédios apenas para aliviar sintomas, sem mexer na raiz do problema, é o mesmo que usar uma toalha debaixo de um chuveiro ligado: você se seca e se molha em seguida. Mais inteligente seria desligá-lo, não acha?

CAPÍTULO 1: Caos na saúde em plena Quarta Revolução Industrial

FIGURA 1. Quarta Revolução Industrial.

FIGURA 2. Todo mundo prefere o caminho mais fácil.

2

TER SAÚDE NÃO SIGNIFICA ESTAR LIVRE DE DOENÇAS

Não podia acreditar no que via na tela do computador. A satisfação por ter recém-passado em um concurso para me tornar professor da Faculdade de Medicina da Universidade Federal do Rio Grande do Sul, em 2013, deu lugar à frustração ao checar o resultado dos meus exames admissionais. Além de pré-diabético, o exame da creatinina (que avalia a função renal) mostrou que meus rins estavam começando a parar. Para piorar, o pulmão direito apresentava cicatrizes. E, ainda por cima, meu organismo caminhava para um processo inflamatório, como indicavam as alterações apresentadas em outros exames. Não aquele tipo de inflamação localizada, mas sim crônica e difusa por todo o corpo – que abre as portas para uma série de problemas. Tinha apenas 39 anos, mas os testes poderiam ser de um homem na casa dos 80 anos. Curiosamente, de modo geral, eu me sentia bem. Segundo a linha do que chamo de Espectro da Saúde* (**Figura 3**), eu me situava mais precisamente no "Ponto neutro", em que, por sinal, a maioria da população mundial se encontra.

É verdade que os sintomas dos altos níveis de açúcar no sangue – como boca seca, cansaço e vontade frequente de urinar – podem demorar a se manifestar ou mesmo passar despercebidos no início. Além do mais, uma pessoa até pode viver com apenas um rim e um pulmão. Assim, não era de surpreender que eu estivesse levando minha vida normalmente. No entanto, quando parei para analisar os dados, após esse soco no estômago, percebi que eles tinham razão de ser. Afinal, eu tinha um histórico familiar de intolerância à glicose e meus (maus) hábitos dietéticos provavelmente estavam contribuindo para esse resultado. Comia qualquer coisa, já tarde da noite, muitas vezes até na cama. Não tinha problemas com álcool, no entanto, era comum abrir uma cerveja ao chegar do trabalho. O rim estava sofrendo em consequência disso tudo, uma vez que o aumento da glicemia danifica os vasos do órgão – de acordo com a Sociedade Brasileira de Diabetes, a chance de um portador da doença sofrer de lesão renal é de aproximadamente 30%. Já o pulmão, provavelmente trazia lesões decorrentes de três anos de trabalho diário no setor de emergência de um grande hospital. Nos plantões de doze horas, confinado entre quatro paredes, o ambiente pouco arejado e com ar-condicionado é propício para a disseminação de viroses e afins. Ainda assim, decidi repetir os exames. Lá no fundo, tinha a esperança de que o laboratório da universidade tivesse cometido algum erro. Estava vivendo o que os

---

* O espectro da saúde é um *continuum* que começa no "ponto neutro", onde a pessoa está assintomática, mas com estilo de vida inconsistente. A partir desse ponto o indivíduo pode descer para a "má saúde" e, finalmente, "doença"; ou subir para "boa saúde" e "ultrabem-estar". Nestas duas últimas categorias, segundo James Fries, seria possível "empurrar" o aparecimento das doenças crônicas mais comuns para a oitava década de vida e aumentar a longevidade.

psicólogos chamam de negação, reação comum em pacientes que recebem diagnósticos desfavoráveis. Tudo em vão. Os resultados foram os mesmos, infelizmente.

Chegara a hora de dar um basta. Resolvi, então, fazer algumas mudanças em meu estilo de vida. Comecei com a alimentação. Incluí mais vegetais no cardápio, regularizei os horários das refeições, passei a beber mais água. Enfim, nada muito elaborado. No entanto, até então, para além dos clichês médicos do tipo "reduza o sal" e "controle o peso", nunca havia refletido sobre a importância da alimentação para a criação da saúde. Eu nunca fui muito fã de academia, mas estava disposto a me movimentar mais. Por coincidência, alguns meses depois, meu carro quebrou. Passei a caminhar mais – um hábito que adotei para sempre, pois nunca mais tive um automóvel. Minhas andanças do trabalho para casa contabilizavam algo em torno de sete quilômetros ou dez mil passos, para quem é adepto dos pedômetros. Nesse trajeto, passava diariamente em frente a uma escola de ioga. Até que um dia resolvi entrar. Ali, ouvi pela primeira vez termos como autoconhecimento, meditação, controle da respiração, pensamento positivo, gratidão. Palavras que muita gente ainda escuta com desconfiança, "coisa de hippie", mas que a ciência já provou, inúmeras vezes, que realmente influenciam positivamente a saúde, o bem-estar e a longevidade. No PubMed, a maior plataforma de pesquisa de artigos científicos da área da saúde, por exemplo, existem mais de 650 resultados relacionados ao tema "benefícios da ioga",[1] e 109 deles são ensaios clínicos.

POR TRÁS DOS GENES

Parecia mesmo que o universo estava conspirando a favor de minha transformação. Cerca de três anos depois, em 2016, participei de uma conferência na Califórnia (Estados Unidos), chamada "Medicina

Exponencial", promovida anualmente pela Singularity University. Fundada em 2009, no Vale do Silício, pelo engenheiro Peter Diamandis e pelo inventor Ray Kurzweil, é uma universidade que foge da tradicional. Ali, o foco é capacitar pessoas e organizações para enfrentar os grandes desafios do planeta com o suporte de tecnologias exponenciais (das quais vamos falar mais no **Capítulo 3**). No balcão de inscrição, perguntaram-me se eu queria fazer um teste de sequenciamento genético gratuitamente. Estava um tanto quanto ressabiado da eficiência do exame. Como era gratuito, pensei: "O que tenho a perder?". E eu estava certo, o resultado trouxe-me duas grandes revelações. A primeira era de que eu apresentava uma mutação no gene ARMS2, associado a um tipo de cegueira progressiva chamada de degeneração macular relacionada à idade, uma das principais causas de cegueira no planeta —[2] e que já havia acometido dois de meus tios maternos. Descobri ainda que meus telômeros estavam reduzidos, um sinal de envelhecimento acelerado e morte precoce.[3]

Talvez você não conheça ou saiba muito pouco sobre os telômeros. Explicarei resumidamente aqui. Os telômeros são as extremidades dos cromossomos (estrutura celular que carrega nossa informação genética). Eles têm a função de proteger o material genético que o cromossomo transporta, como se fosse a ponta de plástico do cadarço de seu tênis (**Figura 4**). À medida que nossas células se dividem para regenerar órgãos e tecidos do organismo, o tamanho dos telômeros (que é medido em pares de bases) diminui. Assim, ficam mais curtos com o tempo. Por exemplo, quando nascemos, nossos telômeros têm o tamanho de dez mil pares de bases. Se levarmos a vida numa boa, aos 35 anos, passaremos a ter 7,5 mil pares de bases e, a partir dos 65 anos, menos de 4,8 mil.[4] Quando os telômeros atingem sua menor longitude, perdem a função protetora e, a partir daí, as células param de se dividir. É como

PARECIA
MESMO QUE O
UNIVERSO ESTAVA
CONSPIRANDO
A FAVOR DE MINHA
TRANSFORMAÇÃO.

se envelhecessem. Por isso, a chance de você contrair doenças crônicas, como diabetes, hipertensão, câncer e até mesmo depressão ou demência, são maiores nesse estágio. Em resumo, como meus telômeros já estavam bem reduzidos (ou seja, doentes) para a minha faixa etária, a coisa poderia ficar feia para o meu lado.

Parece incoerente para você o fato de eu ter encarado essas notícias como algo positivo? A conclusão de um sequenciamento genético pode, sim, trazer angústia ao paciente inicialmente. Esse comportamento, porém, tende a se normalizar em pouco tempo, como mostrou uma pesquisa feita por psicólogos da Universidade Estadual de Nova York.[5] Até porque ter a mutação não é o mesmo que ter a doença. Fatores ambientais, como o estilo de vida, influenciam em 70% as chances de ela se manifestar, fenômeno chamado de "epigenética", do qual falaremos adiante. O resultado desse tipo de exame, portanto, indica apenas uma probabilidade e, o mais importante, sugere revisões médicas mais específicas e frequentes. Com a experiência de quem já elaborou dezenas de laudos genéticos, listo aqui cinco razões pelas quais todo mundo deveria ser submetido a um sequenciamento genético: 1) detectar vulnerabilidades genéticas para doenças crônicas; 2) identificar mutações genéticas que podem piorar doenças existentes; 3) delinear tratamentos personalizados (a chamada farmacogenética); 4) contribuir com dados para grandes bancos genéticos e, assim, melhorar cada vez mais a acurácia dos exames; 5) fazer um planejamento familiar e de plano de saúde. Eu acredito, em suma, que descobrir o que está por trás de nossos genes pode nos fazer olhar para frente e modificar nosso posicionamento perante o mundo.

Com o meu sequenciamento genético em mãos, fui a vários médicos, de diferentes especialidades. Queria saber quais eram suas implicações, ou seja, o que eu deveria fazer a partir dali. Todos foram

CAPÍTULO 2: Ter saúde não significa estar livre de doenças

unânimes na resposta: "Vá para casa"; "Você está bem"; "Quem procura acha". Em outras palavras, era como se me dissessem: "Fique doente e só depois volte aqui". Um comportamento que passei a chamar de "Medicina reativa", uma vez que o profissional espera a doença se manifestar para esboçar algum tipo de reação. Aquilo não fazia mais o menor sentido para mim. Eu já sabia o que poderia acontecer, era apenas uma questão de tempo.

MOVIMENTO, ALIMENTO, PENSAMENTO = MAP

Aos poucos, mudei não só meu estilo de vida, como também minha prática médica. Admirado com as possibilidades dos exames genéticos, comecei a pesquisar sobre como a tecnologia poderia nos ajudar ainda mais nesse sentido. A ideia era detectar elos genéticos frágeis com o intuito de incentivar meus pacientes a se tornarem mais proativos e menos reativos. Nem todas as respostas para meus questionamentos, no entanto, estavam nos livros. Pelo menos, não nos tradicionais.

Em *O segredo está nos telômeros*, escrito pela bióloga australiana Elizabeth Blackburn e pela psicóloga norte-americana Elissa Epel, por exemplo, aprendi que certas medidas – ter uma alimentação equilibrada, praticar exercícios físicos, dormir bem e meditar – podem alongar os telômeros. E como salientou Blackburn em um TED Talk de 2017:[6] "Não é sobre o tempo que vai durar a sua vida. E, sim, sobre o tempo que vai durar a sua saúde". A relação entre o envelhecimento das células e o câncer, aliás, rendeu a Blackburn, com os biólogos norte-americanos Jack Szostak e Carol Greider, o prêmio Nobel de Medicina em 2009.

Visto que a saída estava na relação dos genes com o ambiente e vice-versa, fiz uma parceria com o laboratório Sophia Genetics,

ERA COMO SE ME DISSESSEM: "FIQUE DOENTE E SÓ DEPOIS VOLTE AQUI". UM COMPORTAMENTO QUE PASSEI A CHAMAR DE "MEDICINA REATIVA".

da Suíça, e em 2018 criei a LifeLab (www.lifelab.med.br), empresa de Medicina de Precisão que realiza e interpreta testes de sequenciamento genético junto ao paciente, a primeira em Porto Alegre a fazê-los fora dos hospitais. Além disso, ao me aprofundar no assunto, percebi que as mudanças mais relevantes nesse contexto estão relacionadas à nossa maneira de se movimentar, alimentar e pensar. E assim cheguei à sigla MAP, meu mantra de vida, que sempre compartilho com pacientes e seguidores em minhas redes sociais: movimento, alimento e pensamento. Uma referência à palavra **mapa**, em inglês, porque a ideia, afinal, era ajudar os pacientes a encontrar caminhos simples e tangíveis para seu equilíbrio. No **Capítulo 10** falarei mais sobre o MAP e como colocá-lo em prática.

Um dos meus primeiros pacientes impactados por essa tecnologia foi um homem corpulento e de hábitos saudáveis, chamado Antônio (nome fictício). Aos 40 anos, casado e pai de duas filhas pequenas, ele trabalhava como executivo em uma agência de publicidade em São Paulo e, nas horas vagas, praticava ciclismo, vela e corrida. Há dois anos, porém, sentia formigamento nos pés. O desconforto se transformara em uma queimação, o que às vezes o impedia até de dormir. Após inúmeros exames e oito neurologistas (sim, eu disse oito), para a Medicina tradicional, não havia nada de errado com Antônio. Ele chegou a pensar que seu problema fosse psicológico. O único sintoma diferente estava associado aos pés do paciente, pois haviam perdido um pouco a sensibilidade ao toque frio, além do formigamento constante.

Com o tempo, os sintomas começaram a se intensificar. A dor era tanta que Antônio, que pertencia a uma geração em que homens não demonstram suas fraquezas, chorava à noite, às escondidas. E bem baixinho, para não correr o risco de acordar alguém. Em nossa primeira consulta, por conta dos sintomas, desconfiei que se tratava de uma neuropatia periférica de fibras finas, normalmente não detectada em exames convencionais.[7] Traduzindo: inflamação que afeta parte dos nervos periféricos, responsáveis por enviar informações do cérebro ao resto do corpo, e provoca dor, queimação e alteração da sensibilidade nos membros. Na conversa, Antônio desabafou: "Fico arrasado com os olhares de reprovação de amigos, familiares e colegas de trabalho que não entendem meu sofrimento".

O teste genético de Antônio comprovaria que isso não era exagero dele, muito menos fruto de sua imaginação. A amostra que colhi com um kit genético viajou até a Sophia Genetics, na Suíça, e depois até a Grécia, onde foi processada. Por fim, chegou ao meu computador, no Brasil, já em forma de dados. Com a ajuda de um software desenvolvido por eles, criei um painel com todos os genes envolvidos em neuropatias dolorosas (cerca de trinta). Quarenta dias depois, lá estava o diagnóstico: mutação no gene SCN9A (**Figura 5**), uma causa clássica de neuropatia[8] que correspondia perfeitamente ao quadro clínico do paciente. Para Antônio, foi libertador. Não apenas por tirar um peso de suas costas, mas também porque proporcionou a ele um tratamento mais assertivo, com medicamentos capazes de silenciar a expressão do mencionado gene. Paralelamente, sugeri também algumas mudanças em seu dia a dia. Entre elas, a redução do consumo de doces, pois os carboidratos comprovadamente aceleram a inflamação crônica. Por fim, realizamos uma análise das fezes de Antônio para avaliar o microbioma (microrganismos que habitam o aparelho intestinal, dos quais falaremos mais a fundo nos próximos capítulos), a fim de equilibrar suas escolhas alimentares e, assim, favorecer o crescimento das bactérias "boas" e reduzir ainda mais a inflamação.[9] Ao longo de seis meses, em uma escala de zero a dez, os sintomas passaram de oito a dois.

Respondendo, por fim, à pergunta que deu nome a este capítulo, hoje posso afirmar, por experiência própria, que boa saúde não é ausência de doenças. Eu não tinha sintomas graves na ocasião de meus exames. No entanto, os resultados indicavam que me tornaria o que os médicos consideram doente, de fato, em cinco, dez, quinze anos, talvez. Mas se você soubesse que teria uma chance de adiar ainda mais esse intervalo, esperaria de braços cruzados? Muitos médicos e pacientes, infelizmente, ainda o fazem (*mindset* reativo).

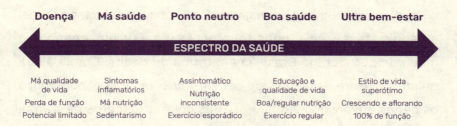

FIGURA 3. Em qual parte do Espectro da Saúde você está?

CAPÍTULO 2: Ter saúde não significa estar livre de doenças   59

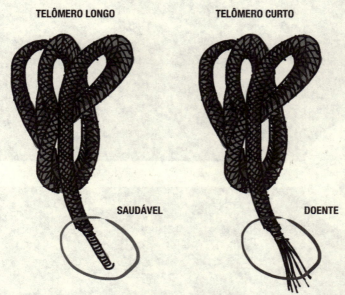

FIGURA 4. Telômeros são as extremidades dos cromossomos (estrutura celular que carrega o DNA), cuja função é proteger o material genético que o cromossomo transporta, como se fosse a ponta de plástico de um cadarço – quando "desfiado" significa vulnerabilidade para doenças e envelhecimento mais rápido.

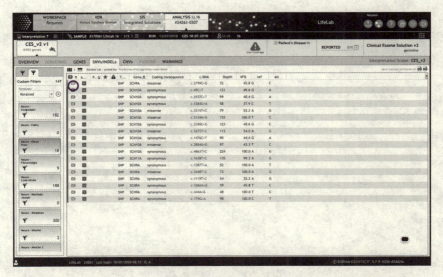

FIGURA 5. Resultado do exoma de Antônio indicando que o gene SCN9A é potencialmente patogênico (categoria B) e, portanto, responsável pelos sintomas do paciente.

HIPÓCRATES E A ORIGEM DO PATERNALISMO MÉDICO

O vestibular para o curso de Medicina é um dos mais concorridos do Brasil. Para estudar na Universidade de São Paulo, por exemplo, a maior do país, o candidato tem de disputar a vaga com, em média, 120 pessoas.[1] E não é raro que os aspirantes a médicos prestem o exame por vários anos seguidos até conseguir. No meu caso, foi na segunda tentativa, depois de um ano de reclusão e em cima de livros. Isso contribui, a meu ver, para que sejamos considerados "especiais" mesmo muito antes de exercer a profissão. Infelizmente, acreditamos nisso e o sentimento permanece – ou até mesmo se fortalece – ao longo da formação. E isso não é necessariamente bom.

Lembro-me de um professor que sempre dizia que ser médico era um sacerdócio e que, portanto, devíamos estabelecer certo distanciamento do paciente para garantir a nossa imparcialidade ao avaliá-lo. Esse comportamento, segundo ele, seria fundamental para impor nossa autoridade como diagnosticadores e detentores de conhecimento. Afinal, quem mais tinha tantas informações privilegiadas capazes de melhorar e, muitas vezes, salvar a vida das pessoas? O mesmo professor sugeria que a cadeira do médico nos consultórios, deveria ser ligeiramente mais alta do que a do paciente, a fim de reforçar nossa superioridade. Estávamos ainda na era do "médico sabe tudo, paciente sabe nada", a marca do paternalismo médico do qual já falamos um pouco na introdução.

Meu querido avô paterno, vô Nestor, foi vítima desse modelo. Quando eu estava no último ano da faculdade, no meio de um plantão obstétrico no hospital universitário, recebi uma ligação de minha avó. Lembro-me daquele dia como se fosse ontem. "O seu avô está estranho, está calado e suando muito", disse. Felizmente, não sentia dor no peito, nem falta de ar. Assim, pensei que fosse uma crise de hipoglicemia (queda do nível de açúcar no sangue), pois ele era diabético e havia aplicado uma dose excessiva de insulina uma semana antes. O desequilíbrio entre os níveis de glicose e insulina no sangue, provocado pela ingestão de alimentos ou medicamentos, é uma das causas do problema. Minha avó, porém, garantiu que os exames de sangue dele estavam normais. "Vó, então, chame o plantão do plano de saúde para que ele seja avaliado. Depois, coloque o plantonista em contato com o médico dele", recomendei, por segurança. Estava no fim do meu plantão, e uma hora depois já me dirigia à casa dos meus avós, que ficava a apenas um quilômetro do hospital.

Chegando lá, a equipe de atendimento domiciliar já tinha saído. Encontrei meu avô deitado na cama, ensopado de suor, pálido e com as mãos sobre o peito. Ele não conseguia falar nada. Na ficha de atendimento, o plantonista havia anotado: glicose normal e alterações no

ESTÁVAMOS AINDA NA ERA DO "MÉDICO SABE TUDO, PACIENTE SABE NADA", A MARCA DO PATERNALISMO MÉDICO.

eletrocardiograma compatíveis com infarto. Entrei em contato com o médico que o havia atendido, e ele me contou que o médico de meu avô, uma figura conhecida na cidade na época, acreditou que se tratava de uma lesão cardíaca antiga. Resolvi ligar direto para esse eminente médico, mas não deu tempo. Do quarto, minha avó gritou: "Seu avô está morto!". Corri até ele, coloquei-o no chão, já inconsciente, e iniciei as manobras de reanimação cardíaca. Gritei para minha avó chamar a ambulância novamente, mas era tarde demais. Meu avô acabara de sofrer um infarto silencioso, típico de pacientes diabéticos, cujos nervos do coração são incapazes de informar ao cérebro a sensação de dor torácica. Algo ainda desconhecido para um estudante como eu. Depois de cinco minutos de manobras, percebi que as pupilas dele estavam completamente dilatadas e fixas, um sinal de morte cerebral. Naquele momento, interrompi os procedimentos. Mesmo que os paramédicos chegassem a tempo e pudessem reanimá-lo, aquela pessoa ali prostrada jamais seria meu avô novamente. Era o fim de uma jornada de 82 anos.

Por que considero um caso de infarto um exemplo do paternalismo médico vigente ainda hoje? O médico que acompanhava meu avô durante vários anos e, portanto, estava por dentro de seu histórico médico, não deu ouvidos à opinião do plantonista. Também não levou em conta que os sintomas que o paciente manifestou indicariam um possível infarto. Vô Nestor poderia ter sido levado a um hospital de imediato, onde seria mais bem atendido e monitorado. Se não fosse pelo paternalismo médico, talvez tivesse sobrevivido.

Nessa época, porém, eu ainda não conhecia esse termo. No dicionário, a palavra paternalismo é sinônimo de "tendência a aplicar formas de autoridade e proteção características de um pai na família convencional às relações políticas, trabalhistas etc.",[2] e aqui se inclui a de médico-paciente. E isso começou há muito tempo, na ilha de Cós (antiga Grécia, atual Turquia), local em que visitei em 2008. Ali, por volta do

CAPÍTULO 3: Hipócrates e a origem do paternalismo médico

século V a.C., viveu Hipócrates, um dos primeiros médicos a dissociar a Medicina das práticas místico-religiosas.[3] Seus escritos foram compilados em um documento chamado de *Corpus Hippocraticum*, cujo texto mais conhecido denomina-se "Juramento Hipocrático". Nele se encontra aquele pronunciamento feito por médicos recém-formados na colação de grau, em que eles se comprometem a praticar a Medicina com integridade. Por essa razão, o médico grego entrou para a história como o pai da Medicina.

Hipócrates acreditava, porém, que era dever do médico ocultar informações sobre as condições de saúde do paciente, caso julgasse necessário. Além disso, as fórmulas médicas (ou seja, os medicamentos daquela época) deveriam ser mantidas em segredo e compartilhadas apenas entre os médicos. Um modelo que se solidificou ao longo dos séculos. Hipócrates não é apenas o pai da Medicina, mas também do paternalismo médico, um paradigma em clara dissonância com o mundo atual.[4]

MEUS DADOS E MINHA SAÚDE SÃO MEUS

Não é de estranhar, então, que muitos médicos ainda hoje se incomodem quando pacientes opinam sobre o tratamento proposto. Uma pesquisa feita por cientistas da Califórnia (Estados Unidos)[5] apontou que a maioria dos pacientes quer, sim, tomar parte das decisões clínicas dos médicos. Entretanto, muitos pacientes não o fazem em virtude do paternalismo e da consequente falta de abertura dos especialistas ou mesmo por medo de sofrerem retaliações (como não serem bem atendidos, por exemplo). Assim, "o receio de serem classificados como 'difíceis' impede os pacientes de participarem mais do cuidado de sua própria saúde", afirma a pesquisa.

"O RECEIO DE SEREM CLASSIFICADOS COMO 'DIFÍCEIS' IMPEDE OS PACIENTES DE PARTICIPAREM MAIS DO CUIDADO DE SUA PRÓPRIA SAÚDE."

Aprovem ou não os médicos, não há como negar que os pacientes são as maiores autoridades para falarem de si mesmos, pois são especialistas em seus corpos e contextos de vida. E, obviamente, os maiores interessados no que diz respeito a seu bem-estar. Desse modo, serão os primeiros a observar quando algo não vai bem.[6] É claro que isso nem sempre significa que vão tomar as melhores atitudes em prol de si mesmos, mas, ainda assim, nós, profissionais de saúde, não temos o direito de menosprezar suas percepções.

Outro obstáculo que distancia os pacientes de um maior protagonismo em sua saúde é a dificuldade em acessar seus prontuários. Embora seja chamado de prontuário médico, ele é, em teoria, propriedade do paciente, uma vez que se trata de um registro de sua saúde, e o paciente pode solicitar uma cópia quando quiser. A solicitação do documento tem de ser feita, por escrito, à instituição em que o paciente foi atendido (consultório, clínica ou hospital) ou diretamente ao médico.[7] Você já solicitou seu prontuário médico ao especialista ou à clínica que costuma frequentar? Teve obstáculos para acessá-lo?

CAPÍTULO 3: Hipócrates e a origem do paternalismo médico

Já conseguiu obter os dados que estavam na posse de um hospital quando estava sendo atendido em outro? Muitos, possivelmente, responderão que não foi tão simples assim. No entanto, conforme o artigo 88 do Código de Ética Médica[8] revisto em 2010, é vedado ao médico "negar, ao paciente, acesso a seu prontuário, deixar de lhe fornecer cópia quando solicitada, bem como deixar de lhe dar explicações necessárias à sua compreensão". Um direito que também é garantido pelo artigo 72 do Código de Defesa do Consumidor,[9] que prevê, desde 1990, uma pena de seis meses a um ano de detenção ou multa para o prestador de serviço que impedir ou dificultar o acesso do consumidor às informações que sobre ele constem em cadastros, banco de dados, fichas e registros.

Os pacientes não estão proibidos por lei, portanto, de checar ou obter os próprios dados. No entanto, em geral solicitam o documento apenas quando estão insatisfeitos, o tratamento não deu certo ou algum familiar faleceu sem que os motivos tenham sido devidamente esclarecidos.[10] A meu ver, ainda existem duas razões por trás disso. A primeira é que boa parte não cultiva esse hábito por medo de questionar a autoridade médica. Novamente, o velho paternalismo hipocrático prevalece. Já a segunda razão está relacionada à dificuldade em reunir os próprios dados, uma vez que tanto prontuários médicos quanto exames ficam armazenados nas diferentes instituições por onde os pacientes passam. Entretanto, tecnologias emergentes mudarão esse cenário.

Pensando nisso, a estudante de Medicina da PUC-RS Vanessa Nicola Labrea, que conheci em um evento de neurologia em que fui palestrante, está desenvolvendo um aplicativo por meio do qual o paciente solicita seus prontuários médicos de hospitais ou clínicas em que já se consultou ou se internou. A ideia é que o sistema, totalmente automatizado, migre esses dados para um sistema *blockchain*. Uma solução inovadora, ainda novidade por aqui, mas que já é adotada, por exemplo, pelo governo da Estônia.[11] Para quem ainda não está familiarizado, *blockchain* é um tipo de tecnologia de registro que visa à descentralização de dados como medida de segurança. Sim, a mesma plataforma criada pelo enigmático Satoshi Nakamoto para transações financeiras de *bitcoins* e afins.

Labrea afirma que:

> Esses dados pertencem ao paciente, por direito. No entanto, até hoje, ficam compartimentados nos locais em que o paciente foi atendido ao longo da vida. Fragmentados e inacessíveis. Essa falta de comunicação molda hoje o sistema de saúde, impactando em resultados econômicos (repetição desnecessária de exames, por exemplo), na efetividade do atendimento e na qualidade da relação médico-paciente.[12]

Diante disso, a estudante fundou em 2018, com o médico e pesquisador Wyllians Borelli, uma empresa de tecnologia e saúde chamada HGB Health Bank. Labrea complementa:

> Com os dados médicos do paciente, que incluem aqueles detectados por biosensores (13,14), migrados para uma *blockchain* privada, à qual o paciente irá decidir quando e por quem esse conteúdo será visualizado, o sistema de saúde deixa de ser centralizado em instituições que não conversam entre si para ser centralizado no paciente.[13]

Eu não poderia concordar mais.

MEDICINA LINEAR ×
MEDICINA EXPONENCIAL

Ao longo de 45 anos, a bióloga e pesquisadora alemã Jeanette Erdmann foi perdendo a força nos braços e nas pernas até precisar de um respirador mecânico. Inconformada com a falta de um diagnóstico, Erdmann pesquisou seus sintomas no Google. Tudo levava a crer que ela sofria de "distrofia muscular de Ulrich", fato posteriormente confirmado por um dos testes de sequenciamento rápido (o mesmo que realizei na Califórnia). O exame, que atualmente custa cerca de 99 dólares e pode ser comprado pela internet nos Estados Unidos, identificou uma mutação no gene relacionado a essa condição. Já Elena Simon foi diagnosticada aos 12 anos com um raro câncer de fígado, removido cirurgicamente por sorte. Quatro anos depois, em um projeto escolar realizado em parceria com sua cirurgiã, ela sequenciou geneticamente o pedaço de seu fígado, assim como os de outros pacientes com a mesma condição. Detectou, dessa forma, a mutação genética do tumor, contribuindo para o primeiro passo de um tratamento efetivo, além da cirurgia. Simon publicou seus achados na revista *Science*, uma das mais prestigiadas da área, e tornou-se notícia no mundo inteiro. Outra paciente nessa linha foi Grace Wilsey, cujos sintomas incluíam flacidez muscular, ataques epilépticos e falência do fígado. Pelas mídias sociais, Wilsey encontrou oito famílias de pessoas que apresentavam o mesmo quadro clínico. Esse *networking* possibilitou a identificação da mutação do gene por trás do problema (NGLY1) e o desenvolvimento de vários tratamentos específicos. Essas três histórias trazidas pelo cardiologista norte-americano Eric Topol no livro *The Patient Will See You Now* [*O paciente vai vê-lo agora*][14] exemplificam uma nova e crescente legião de pacientes protagonistas. Elas também ressaltam a importância de novas tecnologias emergentes e acessíveis, como o sequenciamento genético, da hiperconectividade digital e da popularização de informações científicas, um cenário contrastante com o paradigma médico que exclui o paciente dos processos diagnósticos e terapêuticos. "Assim como Gutenberg democratizou a leitura, há uma chance de os smartphones democratizarem a Medicina", prevê o autor.

Apesar da resistência dos médicos em compartilhar informações com seus pacientes,[15] a tecnologia não espera e já está fornecendo inúmeras informações a respeito da saúde dos pacientes, como batimento cardíaco, qualidade do sono e nível de açúcar no sangue – e estão cada vez mais acessíveis e fáceis de usar. Acredito que uma crise como a que resultou o falecimento do vô Nestor, hoje, possivelmente teria deflagrado um alerta em um Apple Watch®. Como o gadget apresenta sensor cardíaco elétrico e notifica alterações na frequência ao longo do dia, provavelmente o socorro seria acionado com antecedência. Até mesmo pelo próprio relógio, que faz chamadas de emergência sozinho. Isso, porém, é assunto para o **Capítulo 7**, em que falarei sobre Medicina Proativa. O que quero destacar desde agora, leitor, é que essas mudanças continuam evoluindo a uma velocidade incrível. Exponencial, diga-se!

Como profetizou Gordon Earl Moore, em 1965, o desempenho do processamento dos computadores dobra a cada dezoito meses.[16] Considere o genoma, por exemplo, que levou quinze anos para ser finalmente decodificado, em 2003. Contudo, 1% dele demorou quatorze anos para ser processado, e os 99% restantes, em apenas um ano, graças a um aparelho que surgiu nesse intervalo chamado Illumina®. Entretanto, ainda existe um claro descompasso entre o ritmo linear da Medicina tradicional e o ritmo exponencial da tecnologia – isso pode significar vida ou morte para os pacientes que estão correndo contra o tempo. Segundo pesquisa da Universidade de Cambridge (Reino Unido),[17] o intervalo médio entre uma descoberta médica e sua aplicação na prática clínica diária é de dezessete anos. A Medicina

APROVEM OU NÃO OS MÉDICOS, NÃO HÁ COMO NEGAR QUE OS PACIENTES SÃO AS MAIORES AUTORIDADES PARA FALAREM DE SI MESMOS. POIS SÃO ESPECIALISTAS EM SEUS CORPOS E CONTEXTOS DE VIDA.

"ASSIM COMO GUTENBERG DEMOCRATIZOU A LEITURA, HÁ UMA CHANCE DE OS SMARTPHONES DEMOCRATIZAREM A MEDICINA."

tradicional, representada por instituições como FDA, Anvisa, PubMed, entre outros, avança em ritmo linear. Já o resto do planeta, movido pela tecnologia, o faz de modo exponencial. A **Figura 6** ilustra claramente esse descompasso.

O engenheiro norte-americano Jason Calabrese está entre os que estão no ritmo acelerado.[18] Usando seus conhecimentos de programação e eletrônica, Calabrese desenvolveu um "pâncreas artificial", por meio de um modelo antigo de uma bomba de insulina, para o filho Andrew, portador de diabetes e dependente desse hormônio. A invenção consiste em um sensor subcutâneo que mede os níveis de glicose de Andrew a cada cinco minutos. Com base nos resultados, o aparato estima a quantidade de insulina que o garoto deve receber (se necessário) e envia a instrução correspondente ao dosificador. Felizmente, nos Estados Unidos, as leis só controlam a disponibilização de dispositivos no mercado, não o seu uso por pacientes. Por isso, a família Calabrese não teve problemas legais para tocar o projeto, e Andrew, em virtude da inquietação de seu pai, leva uma vida normal: recebe sua insulina no momento certo e na dose

CAPÍTULO 3: Hipócrates e a origem do paternalismo médico

certa. Já pensou se Jason tivesse de aguardar dezessete anos por um tratamento eficaz para seu filho?

Outro caso de como a tecnologia pode ajudar a acelerar os processos ocorreu em meu consultório, há alguns anos. Meu paciente André (nome fictício), de 44 anos, que sofria de polineuropatia amiloidótica familiar, doença caracterizada por perda progressiva de força associada a arritmias fatais, foi beneficiado graças à plataforma Clinicaltrials. gov, que registra estudos clínicos ainda não publicados. Lá, ele ficou sabendo do Diflunisal®, medicamento simples e barato, de resultados preliminares promissores e que controlou sua doença por muitos anos até que o transplante hepático fosse realizado. Se não fosse pela proatividade do paciente, ele provavelmente teria dilapidado seu patrimônio para bancar o tratamento com a droga concorrente, chamada Tafamidis®. Ou, pior ainda, poderia ter morrido antes do transplante. Posteriormente, os resultados do Diflunisal® foram publicados[19] com eficácia semelhante à do Tafamidis®.

O fim do paternalismo – pasmem, tradicionalistas – certamente será benéfico também para o médico. Conforme estudo recente, ao dar esse "voto de confiança" ao paciente, o especialista aumenta sua assertividade e o paciente se sente mais comprometido com o tratamento, melhorando significativamente os resultados terapêuticos. E tudo isso pode ainda tornar a prática da Medicina menos estressante, um ganho considerável se levarmos em conta as crescentes taxas de colapso mental (em inglês, *burnout*), a depressão e o suicídio entre médicos.[20] Como profissional da área, posso dizer que é um alívio. O físico alemão Max Planck (1858-1947), ganhador do Prêmio Nobel de Física de 1918, teria dito que "a ciência avança de funeral em funeral",[21] pois somente após a morte de velhos cientistas, que levariam consigo também seus conceitos ultrapassados, novas verdades teriam espaço para florescer. Todavia, não podemos aguardar sentados que uma geração de "cabeças lineares" desapareça para, enfim, desfrutarmos de tantas descobertas exponenciais e disruptivas. Muitos pacientes morreriam em virtude dessa longa espera. Tempo é vida.

FIGURA 6. De acordo com a Lei de Moore, a tecnologia cresce a um ritmo exponencial.

NÃO PODEMOS AGUARDAR SENTADOS QUE UMA GERAÇÃO DE "CABEÇAS LINEARES" DESAPAREÇA PARA, ENFIM, DESFRUTARMOS DE TANTAS DESCOBERTAS EXPONENCIAIS.

4

MEDICINA DO AMANHÃ: UMA REVOLUÇÃO PARA O PACIENTE

Parte de meu dia a dia como médico consiste em viajar, dentro e fora do país, para fazer palestras sobre Inteligência Artificial, *Big Data* e o impacto das tecnologias na saúde, entre outros assuntos relacionados ao futuro da Medicina. Acredito que a divulgação do conhecimento é fundamental para construirmos esse novo modelo de criação da saúde de que tanto falo. Por isso, costumo palestrar tanto para especialistas quanto para estudantes ou leigos. Recentemente, fui convidado para falar em um evento universitário no interior do estado de São Paulo. Fiquei contente em saber que um dos palestrantes seria um conceituado e experiente professor. Autor de inúmeros artigos científicos e livros sobre câncer, ele era nacionalmente conhecido como um defensor acirrado da "Medicina baseada em evidências" (MBE) – que preconiza que toda e qualquer conduta médica precisa de respaldo científico rigoroso. Realmente foi uma grata surpresa, então, descobrir que iríamos juntos de avião até a cidade onde ocorreria o evento, um trajeto de cerca de duas horas.

Diante de meus questionamentos sobre o modelo médico atual, vi naquela viagem uma oportunidade para dialogar com um representante máximo da tradicional MBE. Iniciamos a conversa com amenidades e assuntos pessoais, até chegarmos ao seu tema predileto: câncer. "O cigarro e a genética são os únicos culpados pela maior parte dos estragos", disse. Seguiu seu discurso: "Não tenho a menor dúvida disso. Tanto que tenho uma aula de quatro horas sobre a nicotina", complementou. Indaguei: "Mas, professor, e a alimentação e o sedentarismo? Não são igualmente importantes em comparação com o tabagismo como causa do câncer?". Ele me respondeu, sem hesitar: "Besteira, a nicotina pode explicar tudo". Inacreditável, pensei.

Crenças como esta do professor, para mim, confirmam que a vida acadêmica, por vezes, tende a ser circular, isto é, a girar em torno de uma mesma premissa cegamente. Isso a impede de buscar soluções que saiam desse espectro. Durante o bate-papo, lembrei-me na hora do já citado Nassim Taleb. Taleb é um crítico ferrenho do mundo acadêmico por sua demasiada rigidez e circularidade. Mais tarde, a palestra que proferiu aos estudantes não poderia ter sido diferente. Ainda que na programação do evento constasse que ele falaria sobre humanização da Medicina, desatou a conversar sobre seu mundo, basicamente sobre epidemiologia, estatística e a história da MBE, sem mencionar as limitações do modelo em momento nenhum.

Ao chegar minha vez de falar, percebi que o professor se contorcia na cadeira, tossindo repetidamente na primeira fila, em especial

CAPÍTULO 4: Medicina do amanhã

quando compartilhei um slide do Congresso de Medicina Exponencial de 2016, nos Estados Unidos, que destacava: "Os ensaios clínicos estão mortos, o futuro é a Medicina baseada nos dados do mundo real". Nesse momento, agitou-se ainda mais. No entanto, não pude deixar de admitir aos ouvintes que, apesar do otimismo em torno dessa Medicina do futuro, eram necessários estudos conclusivos sobre muitas das tecnologias citadas. Uma vez que fui breve em minha fala, houve tempo para um debate ao final, algo que não estava no protocolo. O professor pegou o microfone prontamente e começou a andar pelo palco, enquanto ironizava tanto o conteúdo quanto o formato de minha apresentação. Teria ficado incomodado ao notar que minha palestra impactou os alunos ali presentes? Levou como afronta pessoal? Difícil saber. A discussão, no entanto, posso afirmar, com certeza, foi acalorada: Medicina cientificamente rigorosa ou Medicina do bom senso, ou seja, da vida real? Naquela noite, não chegamos a um consenso. O que não me surpreendeu, pois acredito que ambas as formas de encarar a ciência sejam complementares (Medicina baseada em evidências + Medicina dos dados reais). No mundo "líquido" em que vivemos, vale a máxima de Nietzsche: "As convicções são inimigas mais perigosas da verdade do que as mentiras".[1]

MEDICINA DA VIDA REAL

Assim como a maioria dos colegas, também aprendi a ser médico utilizando dados populacionais como parâmetro, pois a MBE – que costuma ser definida como uso consciente, explícito e cuidadoso da melhor evidência científica disponível ao tomar decisões sobre o tratamento de um paciente – era a prática vigente na época. Com suas raízes na epidemiologia, a MBE ganhou notoriedade nos anos 1990, época em que se tornou quase um emblema para uma geração inteira de profissionais de saúde.[2] No entanto, esse modelo tem sido questionado, especialmente por ser produzido por pesquisadores sem experiência com pacientes; por se distanciar da realidade da prática clínica diária; e por atender mais aos interesses da indústria farmacêutica do que aos do paciente.

Em 2015, a revista *Nature*[3] foi uma das primeiras a chamar a atenção para o tema com um artigo de Nicholas J. Schork, diretor de biologia humana do J. Craig Venter Institute e professor da Universidade da Califórnia (ambos nos Estados Unidos). "A Medicina de precisão requer ensaios clínicos com foco nas respostas individuais a um tratamento, não na média", afirmou Schork na publicação. Segundo o especialista, todos os dias, milhares de pessoas utilizam remédios que não vão ajudá-las – ou até podem fazer mal. Um bom exemplo disso é o redutor de colesterol Lipitor®, a droga mais prescrita no mundo, que fatura cerca de 13 bilhões de dólares ao ano. Alguns estudos verificaram que seu uso reduz a taxa de colesterol em quase todos os pacientes, mas previne apenas um infarto em cada cem tratados. Isso significa que 99 em 100 não têm o benefício que imaginam, além dos efeitos colaterais não infrequentes e dos gastos desnecessários. Esse caso ressalta o quanto tratamentos puramente fundamentados na Medicina baseada em evidências são deficitários porque não atendem a todos. O mesmo fenômeno ocorre com o Plavix®, afinador de sangue ligeiramente melhor do que a aspirina, com vendas próximas a 10 bilhões de dólares no mundo. O grande avanço, nesse caso, foi a descoberta de que pacientes com alterações no gene CYP2C19 não respondem bem ao medicamento e, portanto, não têm indicação de uso – a redução do uso de medicamentos sem necessidade deve se tornar cada vez mais comum a partir da popularização de marcadores

TRATAMENTOS PURAMENTE FUNDAMENTADOS NA MEDICINA BASEADA EM EVIDÊNCIAS SÃO DEFICITÁRIOS PORQUE NÃO ATENDEM A TODOS.

farmacogenéticos, ou seja, exames de DNA que detectam qual o melhor medicamento para cada paciente, como vou falar no próximo capítulo. Ambos os casos foram citados no livro *Creative Destruction of Medicine*, do cardiologista norte-americano Eric Topol,[4] infelizmente ainda não disponível em português.

Além disso, sabemos que o financiamento de pesquisas pela indústria farmacêutica pode gerar conflitos de interesses que nem sempre vêm a público. Uma revisão de estudos patrocinados sobre antidepressivos[5] mostrou que, de 38 com resultados positivos, 37 deles foram publicados. Por outro lado, de 36 estudos com resultados negativos, apenas 14 deles tiveram a mesma sorte. Isso não quer dizer que a Medicina baseada em evidências deva ser abandonada. E sim que podemos e devemos incluir algumas modificações na maneira como essas evidências são coletadas e aplicadas. Aqui entra a *real-world medicine*, traduzida no Brasil como evidências ou dados do mundo real. Em resumo, ela se refere a informações derivadas de múltiplas fontes conectadas ao indivíduo – e não apenas de estudos clínicos padrões –, como dados biométricos (batimentos cardíacos, passos, temperatura etc.), dados de comportamento (mobilidade urbana, compras, viagens) e dados dos prontuários médicos e hospitalares. Essas informações, coletadas por meio de dispositivos como celulares, redes sociais e transações on-line, entre outros, podem ser utilizadas para averiguar a resposta a um tratamento qualquer sem a necessidade de um estudo científico formal, que costuma levar anos para ser concluído.

A Medicina do amanhã, portanto, vai girar em torno do paciente e, assim, transformá-lo em protagonista. Mas calma, para chegar lá, destaco ainda três pré-requisitos importantes para essa mudança: a horizontalização da relação médico-paciente; a remuneração médica diferenciada e, é claro, o uso de tecnologias disruptivas de amplo acesso.

DE IGUAL PARA IGUAL: A HORIZONTALIZAÇÃO DA SAÚDE

Já discutimos um capítulo inteiro sobre por que a relação médico-paciente se fundamenta em um estilo paternalista centrado no médico e não no paciente, e o que todos perdemos com isso. Imagino que agora você provavelmente concorde comigo. Assim como ocorre em empresas inovadoras como Google, na Medicina não poderia ser diferente: devemos apostar na horizontalização do relacionamento médico-paciente. Nesse modelo, as decisões são tomadas em conjunto, de maneira colaborativa, e não "de cima para baixo". Cada vez mais conhecedor de si mesmo por meio da coleta de seus dados, o paciente é incentivado a criar a própria saúde. Se ele tiver alguma dúvida, logicamente, pode levar suas aflições ao médico parceiro, não à "autoridade suprema". Desde que não existam barreiras que impeçam a comunicação entre eles. Nem físicas, como uma cadeira mais alta, nem psicológicas, como o medo de alguma pergunta "idiota". Dessa forma, todo mundo vai se sentir mais motivado, não é mesmo?

Tive o prazer de atender em meu consultório duas pessoas assim, na mesma consulta. Uma delas era um renomado médico cardiologista, de 74 anos, que, após assistir a uma palestra minha, ficou interessado nos benefícios do sequenciamento genético. O outro era seu paciente. Ambos buscavam, juntos, alternativas para prevenir o câncer em uma família repleta deles. Muitos especialistas teriam o receio de "perder" o paciente para outro médico, como se estivéssemos competindo uns com os outros. Por isso, fiquei até emocionado de ser útil a um profissional tão experiente quanto aquele. Algo que só foi possível porque ele – talvez sem pensar muito a respeito – tratou seu paciente de igual para igual. Agiu como um médico do futuro, um parceiro, uma espécie de *concierge* da saúde, provando que Max

A MEDICINA DO AMANHÃ, PORTANTO, VAI GIRAR EM TORNO DO PACIENTE E, ASSIM, TRANSFORMÁ-LO EM PROTAGONISTA.

Planck – aquele que afirmou que a ciência evolui de funeral em funeral – não estava absolutamente certo em sua profecia.

Além do medo de perder o paciente para outros colegas, muitos médicos temem perdê-los para si mesmos. Isso ocorre em um cenário em que a Medicina é vista, primeiramente, como um negócio, o que coloca os profissionais com essa mentalidade diante de um paradoxo: se o objetivo é deixar o paciente saudável, como vou garantir meu sustento? Se você acha que estou exagerando, saiba que, certa vez, um gestor de uma rede nacional de clínicas e hospitais me disse, em bom português: "Pedro, as suas propostas preventivas são interessantes, só que hospital é que nem teatro, temos que manter a casa sempre cheia". Pena que, até então, eu não conhecia a história de John Antioco, CEO da rede de locadoras de filmes e games Blockbuster, para compartilhar com ele.[6] Em 2000, ele foi procurado por um empresário com uma proposta inusitada para a época: negócios on-line. Como a Blockbuster era uma companhia próspera, Antioco recusou a sugestão. "Tenho milhões de clientes e milhares de lojas rentáveis no varejo. Preciso me concentrar no

CAPÍTULO 4: Medicina do amanhã

dinheiro", teria respondido. A proposta, porém, vinha de ninguém menos do que Reed Hastings, hoje cofundador e CEO da Netflix. Para concluir, a Blockbuster pediu falência dez anos após aquele encontro, enquanto a Netflix se tornou um dos maiores serviços de *streaming* (distribuição digital) da atualidade.

Esse novo contexto exige que os profissionais sejam remunerados de maneira diferenciada. Ainda hoje, na maior parte do mundo, o médico é pago por consulta ou procedimento realizado, e não por sua performance. Esse sistema, em inglês chamado de *fee-for-service*, vale reforçar, tem sido apontado como uma das causas mais importantes do fracasso da saúde nos Estados Unidos.[7] Por aqui, também é alvo de críticas, uma vez que induz a procedimentos desnecessários e ao desperdício de materiais.[8] Um estudo de revisão feito nos Estados Unidos, publicado na revista científica *PLoS One*, revela que 30% dos antibióticos, 26% dos exames de imagens e 12% dos cateterismos cardíacos são desnecessários ou inapropriados. Segundo os pesquisadores, esses números crescem substancialmente quando o paciente está internado.[9]

E, por fim, os altos custos também afetam o consumidor. Por essa razão, a Agência Nacional de Saúde Suplementar, órgão responsável por regular o mercado de planos de saúde no Brasil, lançou recentemente um guia para a implementação de modelos de remuneração (de profissionais, clínicas e hospitais) com base em valor.[10] Entre os dez modelos sugeridos pelo guia, um deles é conhecido como *capitation*. Nele, a unidade de saúde tem autonomia para gerir o valor repassado, desde que os indicadores da população atendida sejam positivos. Outra proposta é a remuneração por episódios, em que o repasse se refere a um tratamento completo, e não mais o valor de cada procedimento isoladamente. As operadoras não são obrigadas a seguir as regras do documento, mas certamente estão interessadas em fazer parte dessa discussão, principalmente se considerarmos a evasão de clientes: 3 milhões de usuários deixaram os planos de saúde no Brasil entre 2014 e 2017.[11]

A operadora de saúde norte-americana Kaiser Permanente pode ser uma inspiração nesse sentido, uma vez que, além de remunerar seus médicos cooperados por meio de salários, e não pelo número de procedimentos realizados, ela os premia conforme sua performance anual, como me contou John Mattison, um dos diretores médicos da instituição. As métricas avaliadas, nesse caso, vão desde a redução de internações por ano, e a melhoria dos níveis de glicose e colesterol de pacientes até o número de intervenções cirúrgicas. Mattison acredita que tudo é uma questão de incentivos. "Se você incentivar um maior número de procedimentos (exames, cirurgias, internações etc.), é isso que vai receber em troca. Se você incentivar melhores práticas, idem", afirmou. Uma filosofia que parece estar funcionando, uma vez que os hospitais da operadora estão entre os melhores dos Estados Unidos.[12]

O QUE É SER (REALMENTE) DISRUPTIVO

Comum no universo do empreendedorismo, o termo disruptivo normalmente é associado a algo que rompe paradigmas. Foi cunhado pelo professor Clayton Christensen, da Harvard Business School e tornou-se popular no livro *O dilema da inovação*.[13] No entanto, segundo a teoria de Christensen, disruptivo é, na verdade, um produto ou serviço mais simples e barato, que atende a um público antes excluído do mercado. Ainda que vise margens de lucros menores a princípio, ele desestabiliza os concorrentes até então dominantes e, por vezes, acaba por torná-los obsoletos.[14] Netflix, Airbnb e os aplicativos de táxi incluem-se

ALÉM DO MEDO DE PERDER O PACIENTE PARA OUTROS COLEGAS, MUITOS MÉDICOS TEMEM PERDÊ-LOS PARA SI MESMOS.

aqui. Assim, só vai perder o paciente ou ter a "casa vazia" quem focar apenas na doença (presente), e não na criação da saúde (longo prazo), o que envolve lançar mão dessas e de outras tecnologias disruptivas que estão surgindo. Até porque, se o paciente viver por mais tempo, a demanda por acompanhamento e orientação do profissional também será mais longa.

Contudo, isso não acontece da noite para o dia. De acordo com o engenheiro greco-americano Peter Diamandis, um dos criadores da Singularity University, trata-se de um ciclo com seis etapas ao longo da curva de Moore (**Capítulo 3**), as quais ele chamou de "os 6 Ds dos exponenciais":[15] digitalização, decepção, disrupção, desmonetização, desmaterialização e democratização (**Figura 7**). A saber: tudo o que é passível de ser digitalizado se dissemina a uma velocidade incrível, ou seja, torna-se exponencial. No início, porém, os resultados são pequenos e, por vezes, decepcionantes. Quem tiver paciência, no entanto, pode ver aquela ameaça tecnológica que parecia insignificante tornar-se disruptiva. Com isso, vem a desmonetização, isto é, o produto ou o serviço torna-se economicamente acessível para mais gente. E, a partir daí, cai no gosto popular. O próprio celular, que foi criado em 1973 por Martin Cooper,[16] que tive o prazer de conhecer no Congresso de Medicina Exponencial em 2019, levou anos para deslanchar.

Como você pode notar, essa revolução está apenas começando. Por isso, não é tarde para se juntar a ela. Meses depois daquela palestra no interior de São Paulo, fiquei sabendo que aquele estimado professor estreou há pouco tempo o próprio *podcast* sobre ciências, destinado ao público leigo. Para mim, um sinal de que está aberto às novas tecnologias e ao progresso que elas podem trazer quando bem aplicadas. Como falamos antes, a ciência não deve evoluir apenas "de funeral em funeral". Com isso em mente, a partir do próximo capítulo, apresento a vocês a Medicina dos 5Ps:[17]

Preditiva; Preventiva; Proativa; Personalizada e Parceira. Ela é um resumo de tudo o que aprendi na busca por esse novo modelo de praticar a Medicina – mais preciso, assertivo e, sobretudo, humano. Venha comigo!

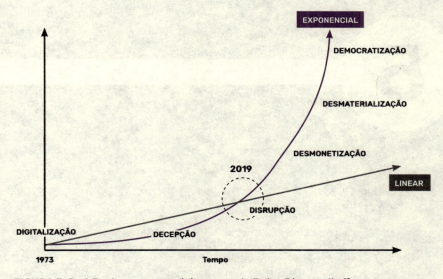

FIGURA 7. Os 6 Ds dos exponenciais, segundo Peter Diamandis.[18]

MEDICINA PREDITIVA: COMO O GENOMA PODE AJUDAR A DETECTAR DOENÇAS ANTES QUE ELAS APAREÇAM OU PIOREM

O ano é 2054. John Anderton comanda o Pré-Crime, departamento de polícia de Washington (Estados Unidos) especializado em prender criminosos antes mesmo que eles cometam o delito. Para conseguir essa façanha, o sistema se baseia na predição de três videntes chamados de *precogs* – uma referência ao termo precognição, ou seja, o conhecimento de um fato ainda não ocorrido. Essa é a história de *Minority Report*, filme de Steven Spielberg estrelado por Tom Cruise e sucesso de bilheteria em 2002. O roteiro foi inspirado no conto de Philip K. Dick, publicado originalmente nos anos 1950. Agora, vamos retornar para os dias de hoje. Ainda não se criou nenhum aparato tecnológico capaz de resolver crimes dessa maneira. Entretanto, em 2019, a polícia de Nova York anunciou que desenvolveu um software de Inteligência Artificial (IA) que analisa centenas de milhares de casos em busca de padrões que possam ajudar a solucionar novas investigações, ou seja, na predição de quando e onde novos crimes vão ocorrer.[1]

Incrível, não? E se eu lhe contar que algo muito parecido com a "previsão do futuro" de *Minority Report* já é realidade no universo da Medicina? Sim, a IA está aperfeiçoando a predição de diversas mudanças que podem acontecer com seu organismo e afetar sua saúde. No Paraná, após a morte da filha prematura por infecção generalizada (sepse), o arquiteto de sistemas Jacson Fressatto criou um programa para diminuir os óbitos causados por esse tipo de quadro. O software verifica informações clínicas e laboratoriais dos pacientes a cada 3,8 segundos e, quando percebe algum risco, emite alertas que são enviados à equipe médica. Batizado de "Laura" em homenagem à filha de Fressatto, o sistema já se conectou a cerca de 1,2 milhão de pacientes, em apenas três anos, e reduziu em 25% a mortalidade hospitalar nos locais onde foi implantado.[2] Ainda de acordo com a pesquisa, ele teria salvado aproximadamente nove mil vidas no mesmo intervalo. Entre elas está Bianca, filha da jornalista Jéssica Amaral, de Curitiba. A menina, que nasceu prematuramente com apenas 27 semanas de gestação, passou 77 dias na UTI. Sofreu diversas complicações, mas hoje, aos dois anos, está se desenvolvendo normalmente. A mãe disse ao site G1:

> Acredito que o sistema faça parte de um conjunto. O trabalho dos médicos, enfermeiros, técnicos e a tecnologia unidos fazem com que o tratamento seja mais eficaz. O sistema auxilia na detecção de sepse, que é quase sinônimo de morte em bebezinhos, além de outros relatórios importantes para a avaliação

médica. Quanto mais precoce o tratamento, maiores são as chances de melhora. Tecnologia mais conhecimento médico, só poderia dar certo.[3]

Isso se chama Inteligência Artificial aplicada. Explico: por meio de um grande banco de dados, são criados algoritmos para detectar padrões. Em alguns casos, como falamos no capítulo anterior, elas vão se aperfeiçoando com o tempo, um processo conhecido como aprendizado de máquina (em inglês, *machine learning*).

Não é apenas a coleta e a interpretação de dados que importam, mas também a interação entre dados oriundos de diferentes tecnologias. Aqui entram os chamados Omics.[4] Para quem não conhece o termo, trata-se de um neologismo da língua inglesa que se refere, informalmente, a campos de estudo da "Biologia de Precisão" que terminam em **-omics**, como *genomics* (genômica), *microbiomics* (microbioma), estes primeiros são os principais, seguidos pelos *proteomics* (proteômica) e *metabolomics* (metabolômica), entre outros. Juntos, eles visam à identificação e à quantificação de moléculas responsáveis pela estrutura, função e dinâmica de um ou mais organismos. Os -omics, combinados com outros dados gerados pelo próprio paciente (**Figura 8**), formam um verdadeiro *Big Data* Humano, que serve de "combustível" para que os algoritmos possam dar sugestões de tratamentos que posteriormente serão depois revisados por médicos de carne e osso.

Acredito que, em um futuro próximo, seus dados vão cuidar de você, na maioria das vezes, sem a necessidade do médico. Nesses casos, as condutas serão transmitidas por dispositivos eletrônicos de baixo custo como Google Assistant, Amazon Alexa ou Siri (da Apple). Além de ajudar você a fazer pesquisas na internet ou a localizar endereços, eles também já estão sendo aprimorados para

OS DADOS FORMADOS PELO PRÓPRIO PACIENTE FORMAM UM VERDADEIRO BIG DATA HUMANO QUE SERVE DE "COMBUSTÍVEL" PARA QUE ALGORITMOS POSSAM DAR SUGESTÕES DE TRATAMENTOS QUE SERÃO DEPOIS REVISADOS POR MÉDICOS DE CARNE E OSSO.

melhorar a qualidade de vida dos consumidores. Abaixo, confira um diálogo imaginário entre a Dra. Alexa e o paciente Alfredo, que costumo apresentar em algumas palestras como ilustração. Esse tipo de conversa será comum muito antes do que você imagina. Acredite!

> **Dra. Alexa:** *Oi, Alfredo, tudo bem? Percebi que você tem cami-nhado menos de cinco mil passos por dia ultimamente. Estou preocupada, pois você é portador da mutação do gene APOE4,*

CAPÍTULO 5: Medicina Preditiva

com risco de demência no futuro, e o sedentarismo aumenta a expressão desse gene.

Alfredo: *Oi, Alexa! De acordo, pois acabei de comprar um relógio novo para controlar melhor minha atividade física!*

Dra. Alexa: *Percebi também que sua pressão arterial e glicose estão constantemente elevadas. Você poderia clicar em seu app e tirar uma foto de sua retina?*

Alfredo: *É prá já!* (aponta o celular para o próprio olho)

Dra. Alexa: *Seu fundo de olho está normal, portanto, você não tem lesão por açúcar ou pressão arterial alta. Entretanto, encontrei em seu tecido novos polimorfismos em genes envolvidos no derrame cerebral.*

Alfredo: *Sério, mas então o que tenho de fazer a respeito?*

Dra. Alexa: *Caminhadas diárias de dez mil passos, dieta mediterrânea e técnicas antiestresse. Eu lhe ajudarei com os aplicativos baixados na App Store.*

Alfredo: *Beleza, algo mais?*

Dra. Alexa: *Sim, você deveria consultar um neurologista o quanto antes.*

Alfredo: *Puxa, Alexa, eu não tenho tempo para agilizar tudo isso!*

Dra. Alexa: *Não se preocupe, querido! Já olhei seu Google Agenda e marquei uma ressonância magnética de encéfalo (sem contraste, pois você é alérgico, conforme demonstra seu painel de alergias), seguida de uma consulta on-line com uma médica de excelente currículo que encontrei pela web, ok?*

Alfredo: *Ok, muito obrigado, Alexa. Sem palavras para lhe agradecer.*

Dra. Alexa: *De nada, amigo, você faria o mesmo por mim.*

GENOMA E OUTROS
OMICS "DE RESPEITO"

O genoma é a quantidade total de DNA presente no núcleo das nossas 35 trilhões de células. Gosto da comparação feita pela cientista Elizabeth Sheldon:[5] pense no DNA como um grande livro de vinte mil páginas. Cada "página" é um gene que contém "letras" (A, G, T ou C, em diferentes combinações). Essas letras formam "palavras", que são as proteínas, que, por sua vez, formam cada órgão de nosso corpo. Nos anos 1990,[6] cientistas do mundo inteiro se uniram com o objetivo de sequenciar nosso genoma. Em outras palavras, dizer a ordem de cada página. Como nós temos três bilhões de pares de genes, imagine o trabalho. No entanto, o Projeto Genoma Humano ficou pronto em 2003, dois anos antes do previsto. Essa força-tarefa foi o primeiro passo para entender a "planta" necessária para desenhar um ser humano.

No entanto, conhecer seu genoma completo não é necessário, pois nem todas as letras do livro formam palavras (proteínas e tecidos). Por hora, sabemos que basta decifrar uma parte dele chamada de Exoma, a parte útil do genoma. Ela é composta de cinco mil genes, que formam nossos tecidos e órgãos. Na prática, essa é uma das modalidades mais utilizadas nos centros de genética, por meio da análise de apenas pequenos painéis com vinte a trinta genes para uma síndrome específica. Com a análise do Exoma, portanto, é possível detectar vulnerabilidades genéticas relacionadas a várias doenças, especialmente câncer e doenças degenerativas. Um dos exemplos mais famosos é o da atriz Angelina Jolie, que, por meio do sequenciamento de seu Exoma, soube que apresentava mutações nos genes BRCA1 e BRCA2 (associadas aos cânceres de mama e ovário). Como a mãe e a tia de Jolie foram vítimas fatais de tumores similares, ela retirou as mamas e o ovário cirurgicamente sem nunca ter apresentado

ACREDITO QUE, EM UM FUTURO PRÓXIMO, SEUS DADOS VÃO CUIDAR DE VOCÊ, NA MAIORIA DAS VEZES, SEM A NECESSIDADE DO MÉDICO.

a doença. O fato, que ficou conhecido como Efeito Jolie, encorajou muitas mulheres a fazer o teste, auxiliando-as na detecção precoce do câncer de mama, o mais frequente e um dos mais letais entre o sexo feminino, apesar dos avanços no tratamento.[7]

Na LifeLab, já ajudei pacientes a predizer doenças de maneira semelhante. Em uma delas, por meio da análise do Exoma, identifiquei um polimorfismo no gene FOXE1, associado ao câncer papilar de tireoide. Fizemos a ultrassonografia da referida glândula, e estava lá o nódulo. A cirurgia para remoção do nódulo foi realizada na mesma semana – e ela está ótima.

Pela primeira vez na história da Medicina, os avanços genômicos estão acelerando o processo inexorável de "despaternalização" médica, o paciente finalmente virou dono dos próprios dados e, consequentemente, de seu destino. Apesar de ser um exame fácil de ser feito no Brasil, ainda é caro para a maioria da população (hoje, custa cerca de 600 dólares). No entanto, vem barateando progressivamente nos últimos anos (**Figura 9**). Por isso, costumo dizer que o genoma é o "hemograma do futuro". Até mesmo o SUS oferece testes genéticos em pacientes e familiares com certos tipos de câncer.

No entanto, não é só para prever doenças que se presta a análise genética. Ela também pode ser aplicada para definir a melhor quimioterapia para cada indivíduo, seja alterando a dose ou o próprio medicamento. Tratar um paciente com câncer de pulmão sem um painel genético básico, por exemplo, é como procurar uma agulha em um palheiro. Isso porque existe alta probabilidade de não acertar o alvo e ainda por cima matar o paciente pelos efeitos colaterais de uma quimioterapia errada. De acordo com uma pesquisa chinesa, os efeitos colaterais do irinotecano, fármaco utilizado contra o câncer colorretal e de pulmão, podem ser mais graves em pacientes que apresentem uma alteração específica no gene UGT1A, independentemente da

CAPÍTULO 5: Medicina Preditiva

dose.[8] Isso porque esse gene controla o metabolismo desse fármaco no fígado.

Abordagem personalizada semelhante tem sido utilizada em pacientes psiquiátricos que, muitas vezes, podem passar anos em um jogo de tentativa e erro para a escolha do melhor antidepressivo. Foi o que ocorreu com o repórter da TV Globo Jorge Pontual. Em uma reportagem do programa *Bem Estar*, quando entrevistou o próprio psiquiatra, o jornalista revelou que, apesar de sofrer da doença há quase quarenta anos, apenas recentemente descobriu os medicamentos mais indicados para seu caso. A descoberta só aconteceu graças à realização de um painel farmacogenético. "O resultado do teste veio com a lista dos antidepressivos que não funcionam para mim, e eram justamente aqueles que tomei durante décadas", afirmou.[9] De fato, já se comprovou cientificamente que, se pegarmos todos os antidepressivos no mercado e os testarmos ao estilo "tentativa e erro", poderemos levar até 33 anos para acertar a combinação ideal.[10] A psiquiatria, aliás, foi uma das primeiras especialidades a utilizar a Medicina de precisão com esse objetivo,[11] seguida da oncologia, o que passou a ser chamado de farmacogenética. Seu papel, em resumo, é identificar fatores genéticos que explicam por que um medicamento indicado para uma pessoa pode não ser eficaz (ou até mesmo fazer mal) para outra que sofra do mesmo problema. No momento, os painéis farmacogenéticos na área da psiquiatria são utilizados apenas naqueles pacientes que não respondem aos tratamentos convencionais. Todavia, no futuro, com a queda dos preços, possivelmente serão solicitados antes mesmo de iniciar o tratamento com qualquer droga psiquiátrica.

Outra aplicação importante e promissora dos estudos genéticos é a seleção mais precisa daqueles pacientes que realmente necessitam se submeter a uma mamografia ou ao teste de PSA (antígeno prostático

NÃO É SÓ PARA PREVER DOENÇAS QUE SE PRESTA A ANÁLISE GENÉTICA. ELA TAMBÉM PODE SER APLICADA PARA DEFINIR A MELHOR QUIMIOTERAPIA PARA CADA INDIVÍDUO, SEJA ALTERANDO A DOSE OU O PRÓPRIO MEDICAMENTO.

específico que auxilia na detecção do câncer de próstata). Isso é fundamental, uma vez que, ao longo de dez anos, aproximadamente 50% a 61% das mulheres submetidas a uma mamografia anual, assim como 10% a 12% dos homens que realizam testes regulares de PSA, terão como resultado um falso positivo,[12] o que gera, consequentemente, um grande número de outros exames e cirurgias desnecessários. Assim, os Omics vão indicar com maior exatidão quem realmente deve passar por tudo isso, a começar pela biópsia. Pois, muitas vezes, vale lembrar que o melhor tratamento é não fazer nada.

O segundo Omics mais importante é o microbioma, cuja análise é obtida por meio de um exame genético das fezes. Um recente estudo concluiu que pacientes com microbioma intestinal de pouca diversidade

CAPÍTULO 5: Medicina Preditiva

bacteriana (pessoas que comem sempre a mesma coisa e com poucas fibras) respondem mal à quimioterapia, com uma taxa de sobrevida de 36% em comparação àqueles com microbioma diversificado, cuja taxa era de 67% após três anos de acompanhamento.[13] Além do tratamento contra o câncer, existem outras vantagens em conhecer melhor o microbioma, por isso, voltaremos a falar da importância dele para a saúde no **Capítulo 6**. Felizmente, num futuro próximo poderemos testemunhar o surgimento de mais e mais aplicações para as análises genéticas, que estão se tornando melhores, mais baratas e mais rápidas. As versões mais compactas dos testes, como o 23andMe ou o Heritage, custam em torno de 99 dólares atualmente, e podem ser solicitadas pela internet no site da Amazon ou mesmo em uma farmácia qualquer, nos Estados Unidos, sem prescrição médica. No Brasil, até o momento da publicação deste livro, inexistem empresas com propostas semelhantes. Entretanto, é uma questão de tempo. Em uma conversa informal que tive com Raymond McCauley, atual diretor da área de genética da Singularity University, ele profetizou que, a partir de 2050, o mapeamento genético custará pouco mais de 50 centavos de dólares (!). Um dos motivos para essa redução gradual de preço seria por conta das vendas de dados, com consentimento do paciente, para empresas interessadas em genética de populações.

De fato, à medida que cresce a demanda pelas análises genéticas, aumentam também os bancos de dados genômicos. Na prática, isso significa que novas mutações ligadas a doenças podem ser catalogadas por meio do sequenciamento de um maior número de pessoas de diferentes populações. Vivemos na era do compartilhamento, não apenas de fotos, em nossas redes sociais, mas também de genes. Recentemente, cientistas brasileiros do Centro de Diagnóstico em Genômica da Dasa (maior empresa de Medicina diagnóstica do país) fizeram uma descoberta importante nesse sentido. Ao analisar dados de 1.284 pacientes diagnosticadas ou com histórico familiar de câncer de mama ou ovário, os pesquisadores descobriram seis novas variantes nos genes BRCA1 e BRCA2 – os mesmos citados acima, do Efeito Jolie. Essas mutações não haviam sido observadas em estudos realizados com populações mais homogêneas. Todavia, apareceram em maior prevalência por aqui, uma vez que somos um povo heterogêneo e miscigenado. Por conta desse achado, pessoas com essas mutações, que até então não eram consideradas de risco, agora sabem que têm mais chance de desenvolver esses tipos de câncer.[14]

O FUTURO DOS BEBÊS

Não é de hoje que sabemos da importância do diagnóstico precoce. Uma evolução do Teste do Pezinho, exame realizado para detectar diversas doenças ainda na maternidade desde os anos 1970, foi o NIPT (*non-invasive prenatal test*). Esse teste, que realizamos nas duas gestações de minha esposa (Tati), é capaz de detectar algumas síndromes, entre elas a síndrome de Down. Até pouco tempo, essa alteração genética só podia ser descoberta por meio de um ultrassom obstétrico, de forma imprecisa, ou da punção do líquido amniótico, procedimento já considerado ultrapassado por apresentar risco de abortamento. O NIPT também fornece uma informação divertida já nas primeiras semanas: o sexo do bebê!

Algumas famílias sabem que o mapeamento genético, além do NIPT, permite enxergar mais longe e, por isso, estão submetendo seus bebês a um sequenciamento do genoma logo nos primeiros dias de vida. Por meio dele, os pais poderão saber se o filho apresenta certas vulnerabilidades genéticas, tais como deficit de aprendizado, dislexia, autismo, esquizofrenia e até mesmo linfomas e leucemias. Nesse último caso, com base no resultado, haverá a oportunidade de extrair células-tronco

VIVEMOS NA ERA DO COMPARTILHAMENTO, NÃO APENAS DE FOTOS, EM NOSSAS REDES SOCIAIS, MAS TAMBÉM DE GENES.

do dente de leite da criança para aplicá-las no tratamento. Com essa possibilidade de combater doenças graves, eu e minha esposa também já fizemos o sequenciamento genético dos nossos dois filhos – trata-se da Medicina individualizada "do útero à tumba".[15]

GENÉTICA *BLACK MIRROR*

Paralelamente à triagem neonatal, outro campo que também deve se destacar nesse cenário é a avaliação de risco poligênico. Traduzindo: certas doenças, como a fibrose cística, estão relacionadas a variações em apenas um gene (doenças monogênicas). Em contrapartida, existem doenças que envolvem variações em inúmeros genes e geralmente estão ligadas a fatores ambientais – as cardiovasculares se incluem nesse espectro –, sendo denominadas poligênicas. O risco cumulativo que um indivíduo apresenta de desenvolver uma doença com base no número total de variações ligadas a ela é chamado de pontuação de risco poligênico (ou *polygenic risk score*, PRS, em inglês).[16] Com a ajuda de softwares de inteligência artificial, até mesmo o desempenho físico-esportivo de um atleta já pode ser medido pela avaliação de seu perfil poligênico, ainda que isso não indique ao certo que ele terá uma carreira vitoriosa.[17] Nossa, Pedro, mas essa história de dar nota para o genoma de um paciente "não é muito *Black Mirror*"?* De fato, em diversos momentos, a série nos faz questionar os limites da influência da tecnologia em nossas vidas, como no episódio *Queda livre*, em que as pessoas avaliam a performance umas das outras por meio de um aplicativo, o que lhes confere maior ou menor relevância socialmente e até mesmo o direito de ir e vir. No entanto, no caso do *score* poligênico, a pontuação tem uma finalidade menos fútil, é claro.

---

* Série de ficção científica produzida pela Netflix, desde 2011, que se tornou um grande sucesso mundial ao mostrar o lado sombrio das tecnologias vindouras.

CAPÍTULO 5: Medicina Preditiva

A reflexão sobre livre arbítrio × determinismo, presentes em *Minority Report*, talvez ainda esteja longe de acabar. Na trama do filme, com o perdão do *spoiler*, o oficial Anderton acaba denunciado pelos *precogs* pelo futuro assassinato de um homem. A boa notícia é que, ao desvendar seu genoma, você não estará condenado a nada, pois genes são apenas vulnerabilidades, não sentenças. Em vez de fugir, como Anderton, você terá a chance de buscar alternativas para evitar e/ou reverter uma série de doenças crônicas. Isso se chama epigenética, ou capacidade de modular seus genes por meio do ambiente, o que depende de suas escolhas.

Como já falei, sou portador de uma mutação no gene ARMS1, que aumenta meu risco de desenvolver degeneração macular progressiva (espécie de "doença de Alzheimer do olho"). O meu histórico familiar também conta pontos aqui, visto que há três casos dessa doença em minha família. Por esse motivo, uso óculos com lentes absortivas que escurecem conforme a luminosidade do ambiente e faço uso rotineiro de suplementos de luteína e zeaxantina, substâncias antioxidantes comprovadamente benéficas à saúde ocular.[18] A meu ver, o genoma não diminui a importância do histórico familiar – ambos são complementares. Genética não é destino, afinal. Com o apoio da tecnologia, a Medicina Preditiva está moldando um dos pilares mais importantes para a criação da saúde: a prevenção. Contudo, ao contrário do modelo impessoal, fruto de uma relação médico-paciente verticalizada ainda vigente em muitos casos, ela será gerenciada pelo paciente, munido dos próprios dados.

PARA ENTENDER MELHOR OS OMICS (OU OMAS, EM PORTUGUÊS)

Genoma: ramo da genética que estuda a estrutura e a função do DNA.

Epigenoma: estudo do conjunto completo de modificações ambientais, por exemplo, metilação ou acetilação do DNA.

> **EXISTEM DOENÇAS QUE ENVOLVEM VARIAÇÕES EM INÚMEROS GENES E GERALMENTE ESTÃO LIGADAS A FATORES AMBIENTAIS – AS CARDIOVASCULARES SE INCLUEM NESSE ESPECTRO –, SENDO DENOMINADAS POLIGÊNICAS.**

Microbioma: estudo dos microrganismos que residem nos tecidos e nos fluidos humanos. Os principais microbiomas humanos são o intestinal, o bucal, o nasal, o genital e o cutâneo.

Transcriptoma: estudo completo do RNA (molécula responsável pela síntese de proteínas das células do corpo). Portanto, ele é o reflexo direto da expressão dos genes.

Proteoma: análise do conjunto de proteínas – que formam os tecidos corporais – expressas em uma amostra biológica. Tem sido muito utilizado na detecção de doenças cardiovasculares.

Metaboloma: estudo do conjunto de metabólitos – açúcares, nucleotídeos, aminoácidos, lipídios – produzidos e/ou modificados por um organismo.

Lipidoma: é um subtipo da metabolômica que identifica e quantifica os lipídios (gorduras) constituintes dos compartimentos celulares. É importante para o entendimento de doenças cardiovasculares, distúrbios neoplásicos e nutrigenômica.

Farmacogenoma: estudo da resposta de pacientes em relação a medicamentos e tratamentos de doenças em virtude da variação genética entre diferentes indivíduos e suas respostas à ação das drogas.

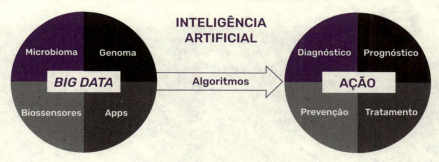

FIGURA 8. A Inteligência Artificial (AI) pode ajudar na transformação dos dados do paciente em ações a favor da criação da saúde.[19]

FIGURA 9. A queda no preço do genoma ao longo dos últimos anos.

MEDICINA PREVENTIVA: O QUE É PREVENÇÃO DE VERDADE?

Todo mundo já ouviu este velho ditado: "Prevenir é melhor do que remediar". Criar (e manter) a saúde, de fato, é uma medida mais inteligente do que tratar a doença. E mais barata também. Não é à toa que alguns governos investem em campanhas que promovem a adoção de hábitos mais saudáveis. O foco dos cuidados médicos teria de migrar da cura para a prevenção, ou seja, a antecipação de futuras doenças em pessoas saudáveis virou prioridade sobre o tratamento de pessoas doentes.[1] Considere o cigarro, por exemplo. Segundo a Organização Mundial da Saúde,[2] o tabagismo mata cerca de sete milhões de pessoas todos os anos, o que equivale a 16% das mortes provocadas por doenças crônicas não transmissíveis. Entre despesas de saúde e perda de produtividade, o custo às famílias e aos governos passa de 1,4 trilhão de dólares. Mas é claro que a prevenção não importa somente em nível populacional. Todo mundo quer viver mais e melhor – e existem muitos mitos e verdades ao redor desse tema. Antes de falarmos mais sobre isso, no entanto, vamos conhecer os níveis de prevenção[3] individual ou populacional:

1) **Prevenção primária:** ação tomada para evitar um problema de saúde antes que ele ocorra, por exemplo, a vacinação e a orientação de exercícios físicos para reduzir a chance de infarto.

2) **Prevenção secundária:** ação com o objetivo de detectar precocemente um problema de saúde, seja ele qual for. Pode ser câncer, como ocorre nas campanhas do Novembro Azul para câncer de próstata, do Outubro Rosa para câncer de mama ou mesmo ações aleatórias em espaços públicos para identificação de pressão arterial alta ou diabetes em pacientes assintomáticos.

3) **Prevenção terciária:** ação implementada depois de um problema de saúde estabelecido. Aqui se incluem, por exemplo, fisioterapia após acidente vascular cerebral, controle do diabetes para evitar cegueira e controle da pressão arterial para prevenir infarto.

Apesar do "mediquês", fica claro que a prevenção primária, também chamada de proativa, é a mais barata, efetiva e humana. No entanto, a Medicina reativa vigente não concentra seus esforços nesse tipo de prevenção. Fomos ensinados a ser reativos. "Fique doente e volte aqui", assim como me foi dito quando descobri as alterações em meus exames. A prevenção primária tem o poder de transformar sua saúde e de toda a sociedade.

GENES × AMBIENTE

A preposição grega *epi* equivale a "sobre", "por cima". Assim, em tradução livre, epigenética é aquilo que está "por cima da genética".[4] A escolha da preposição não poderia ter sido mais acertada porque epigenética é o nome que se dá à capacidade que o ambiente tem de modificar genes, tanto para o bem quanto para o mal. É como se os genes fossem as teclas de um piano e o ambiente, o pianista. Vale reforçar que uma canção depende da qualidade das teclas de um piano (genes), mas principalmente da qualidade do pianista (ambiente). O que determina que essa ou aquela tecla esteja danificada? A ciência ainda não tem todas as respostas para essa pergunta. Todavia, já sabemos, ou melhor, temos certeza de que a interação dos genes com o meio ambiente é capaz de silenciar ou potencializar muitos daqueles relacionados a doenças. É por isso que gêmeos univitelinos, ainda que compartilhem o mesmo DNA, têm históricos médicos diferentes.

E essa influência surpreende: fatores externos, que vão desde o local onde você mora, o que você come, quantas horas dorme e a maneira como encara seus problemas, entre outros, podem determinar 70% ou mais das doenças que você vai manifestar ao longo da vida.[5] Nas palavras do geneticista inglês Moshe Szyf, da Universidade McGill (Canadá), um dos pioneiros no estudo da epigenética no mundo:

> O avanço no conhecimento sobre a relação entre o ambiente e o genoma ajuda a combater o determinismo genético, ou seja, aquela ideia de que, se você nasce com genes da inteligência, você será inteligente, e se você nasce com genes saudáveis, você será saudável, não importando o que você faça a respeito.

Isso coloca mais peso em nossas escolhas. Mostra que temos controle enquanto pais, enquanto formuladores de políticas públicas e enquanto sociedade.[6]

Em suma: o problema não está em nossos genes, e sim nas instruções que damos a eles.

Em uma das pesquisas das quais Szyf participou, avaliou-se a influência do amor materno em filhotes de ratos. Aqueles que receberam mais lambidas de suas mães tornaram-se adultos mais tranquilos e corajosos do que aqueles que não foram bem cuidados. O ambiente, isto é, o carinho das mães, influenciou a expressão de genes relacionados ao estresse.[7] Infelizmente, maus-tratos e abusos na infância também deixam marcas no DNA de algumas pessoas. E, de acordo com um estudo posterior do qual o cientista também participou, esses marcadores podem ser vistos em cérebros de suicidas. Para Szyf,

O maior desafio é encontrar formas de intervir antes que os sinais clínicos apareçam e a situação se deteriore. Por isso, é tão importante entender o que torna as pessoas vulneráveis. Esse conhecimento também vai nos guiar quanto ao tipo de intervenção.[8]

Como você viu no capítulo anterior, o genoma e o microbioma já podem ser utilizados com sucesso para a detecção de inúmeras vulnerabilidades atualmente, mas logo mais outros "omics", como o metaboloma e o transcriptoma, também serão ferramentas úteis nessa busca.

A INTERAÇÃO DOS GENES COM O MEIO AMBIENTE É CAPAZ DE SILENCIAR OU POTENCIALIZAR MUITOS DAQUELES RELACIONADOS A DOENÇAS.

A FONTE DA JUVENTUDE EXISTE?

Então quer dizer que, se você se "comportar", poderá viver até os 100 anos ou mais? Gostaria que fosse verdade, mas, como falei no começo do capítulo, existem vários mitos relacionados à longevidade. Esse é um dos principais. No Brasil, por exemplo, apenas 24 mil dos 180 milhões de habitantes, de acordo com dados do IBGE,[9] se enquadram na categoria de centenários. A segunda mentira que gira em torno do assunto diz respeito à reversão da velhice. Muitas pessoas sonham e outras até acreditam que é possível reverter ou retardar o processo de envelhecimento. Se alguém lhe oferecer algum tratamento milagroso com esse propósito, caia fora, pois é cilada.

Quem é mais velho vai lembrar que, quando se grava uma música de uma fita cassete para outra, a qualidade dela vai se perdendo, certo? Com o DNA ocorre o mesmo. Isso porque os telômeros vão diminuindo à medida que nossas células se dividem, como provado em O segredo está nos telômeros, livro de Elizabeth Blackburn e Elissa Epel, do qual falei anteriormente. Desse modo, quanto mais envelhecemos, menores eles ficam – lembra-se da figura do cadarço do tênis mencionada no **Capítulo 2**? E como a função deles é proteger o material genético que o cromossomo transporta, ficamos mais suscetíveis a sofrer de diversas doenças no fim da vida.[10] Mas nem tudo são más notícias: no livro, as cientistas também nos contam que o tamanho dos telômeros está diretamente relacionado a uma enzima chamada telomerase. Essa substância é responsável por restaurar o DNA perdido ao longo das divisões celulares. Essa descoberta, que mexeu com o mundo acadêmico, levou a outro questionamento: e se produzirmos mais

CAPÍTULO 6: Medicina Preventiva

telomerase, de modo que nossos telômeros se mantenham sempre longos? Estudos posteriores demonstraram que o corpo já fabrica a enzima em quantidade suficiente. Contudo, tende a economizá--la por um motivo: em excesso, a telomerase pode levar ao crescimento descontrolado das células, que é a principal característica do câncer.

A fonte da juventude, portanto, é lenda. Fomos feitos para durar o tempo suficiente para crescer, procriar e ajudar nossos descendentes a se tornarem independentes. Um dia, todos vamos morrer. O que torna o trabalho de Blackburn e Epel tão incrível foi o que descobriram em seguida: a relação do meio ambiente com os níveis da telomerase e, por consequência, com o tamanho dos telômeros. Em resumo, elas observaram que podemos tornar mais lento o processo de envelhecimento por meio de nossas escolhas diárias. Como? De modo geral, praticar atividades físicas, manejar o estresse e ter uma alimentação o mais natural possível (leia sobre o MAP no **Capítulo 10**) são atitudes capazes de modular nossos telômeros e refletir até mesmo em sua aparência. Não é à toa que algumas pessoas parecem bem mais jovens do que outras, mesmo que tenham a mesma idade – o que não tem nada a ver com o creme antirrugas que elas usam ou deixam de usar, sem querer desmerecer os cosméticos. Ao analisarmos as duas de perto, vamos observar que as que aparentam ser mais novas certamente têm os telômeros maiores, sabia? Isso explica por que nos reencontros da faculdade algumas pessoas parecem muito mais velhas do que outras, e você sabe do que estou falando. Novamente, entra em ação a epigenética, ou seja, a influência de nossos hábitos sobre a expressão de nossos genes.

> **MUITAS PESSOAS SONHAM E OUTRAS ATÉ ACREDITAM QUE É POSSÍVEL REVERTER OU RETARDAR O PROCESSO DE ENVELHECIMENTO. SE ALGUÉM LHE OFERECER ALGUM TRATAMENTO MILAGROSO COM ESSE PROPÓSITO, CAIA FORA, POIS É CILADA.**

OS QUATRO CAVALEIROS DO APOCALIPSE DA SAÚDE

Que comer direito e praticar esportes fazem bem, você provavelmente já tinha ouvido. Entretanto, gostaria de destacar três tópicos menos divulgados que influenciam o tamanho dos telômeros: inflamação, glicose e radicais livres. A inflamação, resposta do sistema imunológico a dano ou lesão, pode ser prejudicial à medida que se torna crônica, em resposta a algum tipo de estresse. Um verdadeiro "incêndio" no organismo, eu diria. Já o aumento da glicose sanguínea, cientificamente chamada de resistência insulínica, é decorrente de consumo excessivo de açúcar e outros carboidratos. Por fim, os radicais livres, que são resíduos tóxicos das células decorrentes da produção de energia, também podem danificar nosso corpo. Juntas, essas três condições, causadas principalmente por maus hábitos, diminuem os telômeros. É por isso que costumo chamar aos quatro – inflamação, glicose alterada, radicais livres e telômeros reduzidos – de Cavaleiros do Apocalipse. Porque, se estão a caminho, o fim está próximo! Melhor mantê-los bem longe, o que depende muito mais de atitudes do que de remédios.

Se você vai envelhecer e morrer de qualquer forma, qual é então a vantagem de levar uma vida mais regrada para prolongar sua passagem pela Terra? Não seria melhor "aproveitar" ao máximo, sem tantas restrições? É verdade, não existe fonte da juventude. Todavia, se nos "comportarmos bem", criando um ambiente propício para isso, podemos até pensar em chegar ao menos aos 90 e poucos anos com saúde. Se não dá para viver para sempre, é possível viver por mais tempo e melhor.

Ou seja, podemos tomar atitudes de modo que as doenças crônicas não transmissíveis (diabetes, hipertensão arterial, vários tipos de câncer, entre outras) tardem a aparecer. É o que a Medicina chama de compressão da morbidade. Essa teoria foi apresentada pela primeira vez em 1980 pelo médico norte-americano James Fries e rompeu paradigmas pessimistas em relação ao processo de envelhecimento.[11] De modo geral, ele quis mostrar que essas doenças e suas complicações poderiam ser "empurradas" ao máximo para o fim da vida, aumentando, dessa forma, não somente a expectativa, mas também a qualidade de vida.

Sei, por experiência própria, quanto é difícil colocar tudo isso em prática. Em uma manhã fria de inverno, quem é que gosta de se levantar cedo para caminhar ou ir à academia em vez de dormir mais uns minutos antes do trabalho? Um estudo mostrou que, após um ano, o nível de adesão a uma dieta saudável entre os pacientes é de apenas 30%.[12] Em relação a atividades físicas, o resultado é ainda pior: 19%.[13] Nem mesmo tratamentos medicamentosos diários os pacientes conseguem seguir por tanto tempo: 80% desistem no primeiro ano.[14] O que não significa que temos de nos render às estatísticas. O conhecimento do genoma e de como o ambiente o influencia é um importante estímulo para a prevenção de doenças. Entretanto, a tecnologia pode fazer ainda mais por você: os biossensores, vestíveis* e implantáveis, estão aí e chegaram para ficar. Com eles, já é possível monitorar o corpo humano com maior frequência, seja a glicose seja a pressão arterial, só para citar alguns indicadores cruciais. Tudo isso vai aumentar o engajamento dos pacientes e facilitar mudanças perenes no estilo de vida. E o mais importante, com você no comando.

---

* O termo vestível (também conhecido pelo termo em inglês, *wearable*) refere-se a dispositivos tecnológicos diretamente conectados aos usuários, como os relógios inteligentes (em inglês, *smartwatches*), por exemplo.

O CONHECIMENTO
DO GENOMA E DE
COMO O AMBIENTE
O INFLUENCIA É
UM IMPORTANTE
ESTÍMULO PARA
A PREVENÇÃO
DE DOENÇAS.

7

MEDICINA PROATIVA: VOCÊ NO COMANDO

A o longo da evolução, fomos programados para desejar calorias.[1] Como não havia comida congelada, muito menos serviço de delivery, nossos antepassados tinham de suar muito para garantir o sustento. Contudo, o dia de trabalho nem sempre rendia, por isso, um dos mecanismos de sobrevivência encontrado pelo cérebro foi estocar as calorias excedentes em forma de gordura. O outro foi entender rapidamente que os alimentos mais energéticos, geralmente, são os mais doces. Assim, nós, humanos, acabamos desenvolvendo um centro de recompensas cerebral que libera uma substância chamada dopamina, que gera bem-estar quando comemos alimentos calóricos. Se você tem vontade de comer alimentos com muita gordura trans, açúcar e outros carboidratos engordantes, portanto, não se culpe. Está apenas seguindo um impulso orgânico primitivo de liberar dopamina.

Por milhares de anos, esse comportamento assegurou o êxito de nossa espécie. No entanto, com o surgimento da agricultura, há cerca de doze mil anos, a comida ficou mais abundante, porém de qualidade inferior,[2] o que levou ao desenvolvimento de doenças crônicas com o passar do tempo. Não é de surpreender, então, que talvez mais gente morra por excesso de comida do que por falta dela. De acordo com um relatório publicado no periódico científico *The Lancet*, uma em cada cinco das mortes que ocorreram em 2017 está associada ao excesso de sal, açúcar ou carne, ou pela falta de frutas e cereais integrais.[3] Paralelamente, os pesquisadores alertaram que um cardápio pobre em nutrientes e rico em calorias de péssima qualidade eleva o risco de doenças cardiovasculares, diabetes tipo 2, câncer e obesidade, doenças que, juntas, foram responsáveis por onze milhões de mortes naquele mesmo ano.

Assim, saber o que e por que você está comendo tornou-se mais importante do que nunca para sua saúde. É o primeiro passo para a Medicina Proativa, em que o paciente se torna protagonista. Nesse contexto, ele não espera a doença "atacar" para reagir, ou seja, tomar um remédio e/ou marcar uma consulta. Pode e deve fazer mudanças hoje em seu estilo de vida para evitar ou postergar doenças. E, uma vez que o paciente não vai ao médico 365 dias por ano, ele pode contar com uma ajuda extra da tecnologia para cuidar não apenas da alimentação, como também do sono, da pressão arterial, da saúde mental e até mesmo da segurança hospitalar.

VESTINDO SAÚDE

Você sabia que existem cerca de quatrocentos sensores em nosso carro? Por que não colocar alguns em nosso próprio corpo? Por exemplo, para monitorar sua glicose a cada refeição. Você também pode ser proativo de maneira semelhante em relação a outro aspecto crucial, o bom funcionamento de seu coração. Alguns sensores – como o KardiaMobile– funcionam em conjunto com o celular e um aplicativo para realizar um eletrocardiograma em qualquer lugar. Basta que você pressione a ponta dos dedos em um dispositivo de alguns centímetros e a tela do celular mostrará como estão os batimentos via *bluetooth*.

Já o Apple Watch® foi o primeiro vestível a ser aprovado pelo FDA (órgão que controla medicamentos e alimentos nos Estados Unidos) para detectar precocemente alterações fatais do ritmo cardíaco,[4] com uma função que até mesmo avisa ao paciente: "Vá para a emergência agora!". Mais recentemente, a Omron®, famosa marca de aferidores de pressão estilo braçadeira, também entrou no ramo dos vestíveis (também são conhecidos como *wearables*, em inglês) e lançou o *smartwatch* HeartGuide, também aprovado pelo FDA. Além de contribuir para o diagnóstico precoce de hipertensão, uma doença silenciosa que às vezes leva anos para ser descoberta, os vestíveis podem auxiliar o controle da ingestão de calorias e sal (que aumenta a pressão), o ajuste de medicamentos anti-hipertensivos e, por consequência, a adesão ao tratamento.

E já que topou monitorar a glicose, os batimentos cardíacos e a pressão arterial, por que não ser ainda mais proativo e avaliar também quanto você anda se exercitando? Um método que vem ganhando cada dia mais adeptos é a monitoração diária dos passos. Os antigos pedômetros (aparelhos que contam o número de passos) estão sendo substituídos

VOCÊ SABIA QUE EXISTEM CERCA DE 400 SENSORES EM NOSSO CARRO? POR QUE NÃO COLOCAR ALGUNS EM NOSSO PRÓPRIO CORPO?

pelas *fitbands* (pulseiras que agregam várias funções, incluindo essa), mais simples e fáceis de usar. Alguns aplicativos de celular também desempenham a tarefa, mas, nesse caso, devem ser carregados junto ao corpo (no bolso etc.). Este último não recomendo, no entanto, pois contribuem para a hiperconexão digital. Para quem não gosta muito de treinar em academias, pode ser uma boa opção, uma vez que vários estudos comprovam sua eficácia – desde que se caminhe, em média, dez mil passos ao dia.[5] Passar muitas horas do dia sentado, aliás, aumenta o risco de morte – 34% para quem passa em torno de dez horas nessa posição, de acordo com uma pesquisa australiana.[6] De fato, o ato de sentar está sendo considerado "o novo cigarro", razão pela qual costumo recomendar a meus pacientes que aposentem suas tradicionais mesas de escritório e as troquem por outros modelos mais altos, de modo que trabalhem em pé. Ou, ainda, que façam suas reuniões de trabalho caminhando ao estilo da turma do Vale do Silício.

CAPÍTULO 7: Medicina Proativa — 125

Não é só a maneira como você passa o dia que importa, mas também como e quanto você dorme à noite. Afinal, sobram evidências da importância da qualidade do sono para a saúde – que afeta, aliás, o tamanho dos telômeros.[7] Existem hoje vários recursos para ajudar você a dormir melhor, uma indústria em crescente expansão que deve movimentar 80 bilhões de dólares só nos Estados Unidos até 2020.[8] Todavia, entre os produtos que prometem uma noite de sono revigorante, que vão desde travesseiros especiais a aparelhos de aromaterapia, os aplicativos provavelmente são os mais acessíveis. De modo geral, eles atuam como um "diário do sono", ferramenta utilizada no tratamento de distúrbios do sono, mas em formato digital. Podem ser usados com smartphones, pulseiras ou mesmo anéis para rastrear os movimentos ao longo da noite, marcar o número de horas dormidas, gravar possíveis roncos ou falas noturnas e até mesmo os batimentos cardíacos.

Para além da saúde física, os aplicativos podem auxiliar também a saúde emocional. É o caso das versões dedicadas a práticas de ioga e meditação, como os populares *Headspace* e *Calm*, só para citar alguns. Além de meditações guiadas, músicas e sons para relaxar, alguns ainda oferecem uma checagem diária do humor do usuário: uma ótima porta de entrada para quem tem a intenção de incorporar essas terapias no cotidiano.

Na NEMO – Neuromodulação Cerebral, trabalhamos com dois vestíveis (estimulação elétrica cerebral e realidade virtual) simultâneos no paciente. Funciona assim: enquanto o paciente assiste a filmes de realidade virtual, estímulos elétricos de baixa voltagem são liberados por dois eletrodos colocado sobre a cabeça. O efeito dos estímulos visual e elétrico é capaz de mudar a plasticidade cerebral e aliviar os sintomas de várias doenças, como depressão, dor crônica e reabilitação pós-derrame, assim como o controle da fissura por alimentos e a melhora da performance no esporte. O nadador profissional Maurício Nascimento utilizou a estimulação elétrica cerebral ao longo de dois meses por vinte minutos antes dos treinos. Resultado: mesmo aos 30 anos, idade considerada avançada para as competições, em 2018 Maurício melhorou seu desempenho e conquistou o primeiro lugar nas três provas de nado peito, bateu o recorde estadual e entrou no ranking dos dez melhores nadadores do Brasil na categoria.[9] E o mais surpreendente: nosso grupo descobriu que a estimulação cerebral é capaz de modificar nosso microbioma intestinal e, portanto, de reduzir a inflamação no corpo.[10]

Concluindo, deu para perceber que os vestíveis são um bom exemplo de alguns dos "6 Ds da Tecnologia" (digitalização, decepção, disrupção, desmonetização, desmaterialização e democratização), propostos por Peter Diamandis e descritos no **Capítulo 4**? Talvez antes do que você imagina, atravessar a cidade para fazer um eletrocardiograma ou uma polissonografia (estudo do sono) vai se tornar obsoleto. Em vez de levar horas, tanto para chegar ao consultório quanto na sala de espera, além do tempo da realização dos exames em si, você poderá fazê-los em casa por meio de seu vestível. Bem mais barato, democrático e, o melhor, sobrará mais tempo para conversar com seu médico.

O "WAZE" DOS HOSPITAIS

Ao se tornar gestor de um hospital em Porto Alegre, o cirurgião Salvador Gullo Neto, um dos pioneiros no Brasil a atuar no transplante de pâncreas, começou a se questionar sobre as falhas nas questões de segurança. Segundo dados da Organização Mundial da Saúde (OMS), em até 10% das internações existe a possibilidade

PARA ALÉM DA
SAÚDE FÍSICA,
OS APLICATIVOS
PODEM AUXILIAR
TAMBÉM A SAÚDE
EMOCIONAL.

de ocorrer algum evento adverso que poderia ser evitado.[11] Contou-me Gullo pessoalmente:

> Eu mesmo me recordo de ter recebido na sala de cirurgia, certa vez, um paciente chamado José dos Santos para uma colecistectomia (remoção da vesícula). Acontece que ele estava ali, na verdade, para amputar a perna em virtude de outro problema.

Enquanto nos Estados Unidos, os eventos adversos hospitalares são a terceira causa de morte,[12] atrás apenas das mortes por coração e câncer, nos hospitais brasileiros, seis pacientes morrem a cada hora por algum tipo de falha assistencial, processual ou por infecções.[13]

Com essa inquietação em mente, Gullo teve a ideia de criar um aplicativo com o objetivo de instruir o paciente e sua família de forma lúdica ou gamificada (por meio de jogos) sobre essas questões. Assim nasceu o Safety4Me. O app ensina as diretrizes preconizadas pela OMS de maneira didática, como se fosse um jogo, e dá ao "jogador" a possibilidade de avaliar diversos aspectos da instituição relacionados à segurança. Tudo isso para tornar o paciente um fiscalizador de seus cuidados ao longo da internação de modo que reduza seus riscos de morte por erros de processo. E o mais bacana, à medida que mais pacientes usarem o serviço de maneira colaborativa, Gullo espera que ele se torne uma espécie de "Waze" da segurança hospitalar. Ele complementa:

> A tecnologia transformou outros setores, e a maneira como eles se relacionam com o consumidor, vide a hotelaria e o transporte de passageiros. A informação não pertence mais a apenas um grupo, é de todos.

CAPÍTULO 7: Medicina Proativa

Assim como meu colega, acredito que toda a sociedade tem a ganhar com isso. Como mencionei antes, vivemos a Era da Informação, que também é a era do compartilhamento. Não apenas de fotos nas mídias sociais, como de dados de saúde, que podem ser gerados pelo celular, por um implante em sua pele ou até mesmo pelos seus genes. O historiador israelense Yuval Noah Harari, aliás, diz que num futuro próximo algoritmos de inteligência artificial, alimentados por nossos dados, nos conhecerão melhor do que nós mesmos.[14]

PROATIVIDADE NÃO É NOVIDADE

Desde o ano de 1975, o professor norte-americano Dr. Thomas Ferguson defendia a ideia do paciente protagonista. No entanto, foi somente em 2006 (mesmo ano de sua morte) que ele publicou um manifesto intitulado *e-Patients: how they can help us heal health care*[15] (em português, e-Pacientes: como eles podem nos ajudar a melhorar o sistema de saúde). Segundo sua definição, *e-patient* significa ser: *eletrônico*, pois ele coleta informações por qualquer meio digital; *equipado*, uma vez que tem cada vez mais ferramentas à disposição para rastrear sua saúde; *engajado*, porque colabora e compartilha a responsabilidade com seu médico; *especialista*, pois se concentra em suas ações específicas, tornando-se um legítimo expert em seu diagnóstico e tratamento; e, por fim, *empoderado*, uma vez que deixa de ser passivo, quando sua saúde está em risco.

Na visão de Ferguson, o *e-patient* é alguém que participa totalmente de seus cuidados médicos, sendo um parceiro ativo no tratamento. O

VIVEMOS A ERA DA INFORMAÇÃO, QUE TAMBÉM É A ERA DO COMPARTILHAMENTO. NÃO APENAS DE FOTOS NAS MÍDIAS SOCIAIS, COMO DE DADOS DE SAÚDE.

manifesto não poderia ser mais atual. Agora, o paciente não só coleta informações sobre sua doença, usando a internet e outras ferramentas digitais de saúde, como também o faz com estratégia. Não é simplesmente uma pessoa que bisbilhota seus sintomas no Google. Um *e-patient* não se perde na "selva digital". Ele não pesquisa sua condição apenas para saber mais sobre ela, mas para contribuir com o tratamento. Ele é proativo, afinal, usa dispositivos digitais de saúde com maestria como parte de seu tratamento.

GUARDIÕES DA SAÚDE

Todos esses acessórios que citei, a meu ver, funcionam como guardiões da saúde. Estejam eles no celular, por baixo da pele ou preso ao braço, facilitam o autoconhecimento e, por consequência, a proatividade rumo à criação da saúde. E eles também podem aparecer em "forma" de gente, sabia? Essa é uma das funções do chamado *coach* de saúde, profissional treinado para auxiliar o paciente a atingir seus objetivos relacionados ao próprio bem-estar. Com informações médicas de confiança e técnicas motivacionais, ele oferece o suporte necessário para o paciente fazer melhores escolhas ou aderir a um tratamento. Esse trabalho é realizado tanto por encontros digitais quanto pessoais, e resolvi destacá-lo aqui porque complementa o trabalho do médico e mantém o paciente no comando. Uma pesquisa feita pela Universidade de Michigan (Estados Unidos) mostrou que, depois de um programa realizado por *coaches* de saúde por apenas doze semanas, os pacientes apresentaram melhorias significativas em relação à atividade física e à dieta. Muitos até emagreceram, ainda que esse não fosse o objetivo do programa.[16]

Nem o *coach* de saúde, que pode ou não ser da área médica, nem os vestíveis, aplicativos e implantes diminuem o papel do médico de alguma forma, como vou provar no **Capítulo 9**, cujo tema é Medicina Parceira (o "5º P"). O mais importante é que você seja o protagonista, afinal.

Como destaquei antes, porém, o cérebro não é um órgão muito confiável quando o assunto é gastar energia. Além disso, ele também tem muita dificuldade em mudar rotinas pela mesma razão: os hábitos são uma estratégia da natureza para nos poupar, uma espécie de atalho do cérebro para executar a maior parte de nossas ações automaticamente.[17] Dessa forma, não queimamos energia com coisas simples, como escovar os dentes, comer ou amarrar os sapatos. Uma das maneiras de fazer com que novas ações se tornem hábitos (no caso, a adoção de um estilo de vida mais saudável) é a introdução de novos gatilhos, isto é, estímulos. Mas por que algumas pessoas conseguem e outras não?

INSPIRE-SE NAS ZONAS AZUIS

O segredo está no ambiente que as rodeia. Por mais que você se esforce, o ambiente sempre "ganha", portanto foque mudar o ambiente que o rodeia. É o que preconiza o projeto Blue Zones (Zonas Azuis, em português), criado em meados dos anos 2000 pela National Geographic Society.[18] Na época, o jornalista e pesquisador norte-americano Dan Buettner foi escalado pela instituição para explorar cinco locais no mundo com o maior número de centenários. São os seguintes, conforme Buettner mapeou: as ilhas Sardenha, na Itália, Okinawa, no Japão, e Icária, na Grécia; a cidade de Loma Linda, na Califórnia e a Península de Nicoya, na Costa Rica.

Chamadas de Zonas Azuis, essas regiões apresentam algumas características em comum que contribuem para a longevidade de seus moradores, independentemente da classe social. Com a ajuda de estatísticos e epidemiologistas, Buettner as resumiu em nove lições:

1. **Mexa-se naturalmente:** isso não quer dizer puxar ferro ou correr maratonas. As pessoas mais longevas do mundo moram em ambientes que estimulam o movimento, seja para visitar os amigos da comunidade seja para cuidar do jardim.

2. **Propósito:** conhecido por *ikigai* no Japão e *plan de vida* na Costa Rica, o fato é que, em todas as regiões listadas acima, as pessoas tinham uma razão para acordar pela manhã, além do trabalho.

3. **Desacelere:** o estresse é normal, até mesmo nas Zonas Azuis. O segredo está em aprender técnicas para controlá-lo, como uma soneca ou um *happy hour*.

4. **Regra dos 80%:** a ideia é parar de comer um pouco antes de se sentir totalmente saciado, o que em Okinawa é conhecido como *Hara Hachi Bu*.

POR MAIS QUE
VOCÊ SE ESFORCE,
O AMBIENTE
SEMPRE "GANHA",
PORTANTO FOQUE
MUDAR O AMBIENTE
QUE O RODEIA.

5. **Mais plantas:** leguminosas como feijões, soja e lentilha, entre outros, estão no cardápio de todos os centenários pesquisados. Já o consumo de carne é reduzido a apenas cinco porções ao mês.

6. **Vinho:** o álcool, especialmente esse tipo de fermentado, é bebido moderada e regularmente (um copo por dia com os amigos ou nas refeições).

7. **Tribo certa:** estar cercado por grupos sociais que apoiam comportamentos saudáveis faz diferença. Mais uma vez, Okinawa tem um nome específico para isso, isto é, *moai*.

8. **Comunidade:** independentemente do tipo de religião ou crença, pertencer a uma comunidade baseada na fé também favorece a longevidade.

9. **Os queridos primeiros:** os centenários têm o hábito de colocar a família em primeiro lugar, além de mantê-los por perto.

Após a grande repercussão da reportagem publicada por Buettner na revista *National Geographic*, o projeto cresceu e se tornou um best-seller.[19] Um de seus desdobramentos foi a implementação de novas Zonas Azuis em diversas cidades e empresas dos Estados Unidos, com excelentes resultados.[20] Segundo Buettner: "Se você quer viver mais, não perca tempo tentando mudar seus hábitos, mude seu ambiente". Você também pode, portanto, implementar mudanças ao seu redor com o intuito de favorecer a escolha de hábitos saudáveis, transformando, assim, sua casa em uma *"blue home"*: desde a retirada da televisão do quarto ao abandono do uso da máquina de lavar louças até morar perto de uma feira orgânica ou de uma ciclovia, entre outras alterações simples, porém de grande impacto, que vamos falar mais no **Capítulo 10**. Além da mudança do ambiente, repare que inúmeros vestíveis e aplicativos

CAPÍTULO 7: Medicina Proativa

podem facilitar praticamente todas as lições acima, tanto para se alimentar melhor, quanto para quebrar o sedentarismo ou manter o contato com entes queridos que vivem longe. Que tal começar hoje? Dê um passo de cada vez – e não se esqueça de contabilizá-lo em seu app.

MEDICINA PERSONALIZADA: CADA INDIVÍDUO É ÚNICO

A prática da Medicina sempre foi personalizada. Afinal, como ressalta o professor norte-americano de Genética da Universidade de Stanford (Estados Unidos) Michael Snyder no livro *Genomics & personalized medicine: what everyone needs to know* (em português, Genômica e Medicina personalizada: o que todo mundo precisa saber),[1] o uso de informações pessoais, incluindo histórico médico e familiar, exames físicos e laboratoriais para determinar o diagnóstico e tratamento de diversas doenças não é exatamente novidade. Mas o que faz então a Medicina ser mais personalizada hoje em dia? A resposta, de acordo com o autor, é que a saúde está entrando na Era do *Big Data*. Como você talvez já tenha ouvido falar, o termo diz respeito ao armazenamento de imensa quantidade de dados, além da capacidade de sacar conclusões dessas informações com rapidez.

Por meio dos Omics (veja quadro no **Capítulo 5**), hoje é possível sequenciar seu genoma, medir dezenas de milhares de biomoléculas corporais e usar vestíveis ou implantáveis para monitorar seu organismo continuamente. Isso sem falar na possibilidade de caracterizar a comunidade microbiana que vive no intestino (conhecido como microbioma intestinal) e em outras partes do corpo humano. Essas mensurações abrangentes têm o potencial de contar a quantas anda sua saúde com uma precisão jamais vista (daí o termo Medicina de Precisão). Entretanto, é lógico que, como se espera de qualquer banco de dados, o tamanho e o volume de informações sobre um único indivíduo precisa ser integrado e interpretado.

A expectativa é de que, num futuro próximo, os dados individuais sejam utilizados para guiar o paciente em suas decisões de saúde (Medicina baseada em dados reais), o que até então era feito apenas por meio de pesquisas e evidências extraídas de grandes populações. Além de orientá-lo também em outros aspectos do dia a dia, que vão desde a alimentação e atividade física até práticas contemplativas, como meditação e afins. Para Snyder, essas informações podem até mesmo influenciar escolhas profissionais do paciente à medida que aumenta a compreensão do impacto do ambiente no DNA. Digamos que o sequenciamento do genoma de uma pessoa mostre que ela tem risco de desenvolver a doença de Parkinson. Como o problema está relacionado a pesticidas e traumatismos cranianos repetidos, ela poderia evitar profissões que envolvessem exposição a pesticidas ou esportes de contato.[2]

E qual a importância de tratarmos um indivíduo de maneira personalizada? Para começar, por uma razão óbvia: somos seres únicos. *Ah, deve ser por causa do material genético, que determina nossas*

A EXPECTATIVA É DE QUE, NUM FUTURO PRÓXIMO, OS DADOS INDIVIDUAIS SEJAM UTILIZADOS PARA GUIAR O PACIENTE EM SUAS DECISÕES DE SAÚDE.

características, muitos vão pensar. Contudo, os motivos vão muito além. Como ensina o microbiologista norte-americano Rob Knight no livro *A vida secreta dos micróbios: como as criaturas que habitam o nosso corpo definem hábitos, moldam a personalidade e influenciam a saúde*,[3] em termos de DNA, uma pessoa é 99,9% idêntica a outra qualquer. Ao comparar seus genes, você vai descobrir que é mais parecido do que imagina com quem estiver aí do seu lado agora. No entanto, de acordo com Knight, isso não ocorre em relação ao microbioma intestinal (antigamente conhecido como flora intestinal). Do ponto de vista intestinal, estima-se que as pessoas compartilhem apenas 10% de semelhança umas com as outras. Ou seja, é nosso intestino que nos torna verdadeiramente únicos!

UM ÓRGÃO INJUSTAMENTE ESQUECIDO

Há cerca de quinze anos, se você quisesse conhecer melhor seu microbioma (também chamado de microbiota), teria de desembolsar 100 milhões de dólares.[4] Assim como aconteceu com o sequenciamento do DNA, o preço do chamado exame genético das fezes (ou seja, a análise do microbioma intestinal) despencou graças às tecnologias disruptivas, e pode ser realizado hoje por cerca de 100 dólares. O teste vem se tornando muito popular entre médicos brasileiros e várias empresas de análise do microbioma intestinal surgiram nos últimos cinco anos no Brasil (com preço similar aos dos Estados Unidos). O exame é feito com um *swab* (tipo de cotonete para uso médico), que é esfregado nas fezes frescas, da mesma forma que esfregamos nossa bochecha para coletar nosso Genoma. Por sinal, a máquina que processa tanto o genoma quanto o microbioma é exatamente a mesma.

CAPÍTULO 8: Medicina Personalizada

Mas por que alguém gostaria de saber mais sobre as bactérias que habitam o próprio intestino? Cada vez mais pesquisas comprovam a relação do microbioma com inúmeras doenças crônicas como obesidade, artrite, doenças autoimunes, asma, câncer e até mesmo autismo e depressão.[5] Entre elas está um artigo de revisão publicado na prestigiosa revista *The New England Journal of Medicine*.[6] Nessa extensa revisão de tudo que foi publicado sobre o tema, os autores resumiram as principais funções desse órgão "esquecido", que é, em minha opinião, o mais importante do corpo humano: 1) defesa contra invasores (função imunológica); 2) controle hormonal; 3) sinalização neurológica; 4) criação de energia; 5) biossíntese de vitaminas e neurotransmissores (como a serotonina, sim, aquela que está em falta nos pacientes com depressão e ansiedade); 6) alteração ou modificação da ação de medicamentos; 7) eliminação das toxinas que produzimos.

Vamos entender o que está por trás disso. Enquanto nosso corpo tem 35 trilhões de células, o intestino abriga aproximadamente 100 trilhões de microrganismos, incluindo bactérias (predominantes), fungos, vírus e protozoários. Nossa população de bactérias é, basicamente, dominada pelos filos *bacteroidetes* e *firmicutes*, numa razão aproximada de 1:1. Quando ocorre um desequilíbrio entre elas (o que os médicos chamam de disbiose), ou seja, quando há maior quantidade de "bactérias más" (*firmicutes*) do que "bactérias do bem" (*bacteroidetes*), as células intestinais abrem "fendas" e deixam passar para o sangue toxinas que deveriam sair nas fezes (**Figura 10**). Esse fenômeno ficou conhecido como síndrome do intestino vazado (ou *leaky gut*, em inglês). Como o nome sugere, a condição torna o intestino permeável a toxinas, especialmente substâncias presentes na membrana de algumas bactérias intestinais chamadas de lipopolissacarídeos (LPS). O resultado dessa invasão de toxinas, incluindo

> # DO PONTO DE VISTA INTESTINAL, ESTIMA-SE QUE AS PESSOAS COMPARTILHEM APENAS 10% DE SEMELHANÇA UMAS COM AS OUTRAS. OU SEJA, É NOSSO INTESTINO QUE NOS TORNA VERDADEIRAMENTE ÚNICOS!

o LPS, é uma inflamação leve, porém crônica, em todo o corpo, que é uma causa considerável de morte no mundo, se considerarmos sua relação com tantas doenças crônicas.[7] Observe a diferença nos microbiomas de alguns de meus pacientes: quando existe um desequilíbrio intestinal (disbiose), há inflamação e diferentes condições clínicas associadas (**Figura 11**).

Clinicamente, os sintomas dessa disbiose são plenitude gástrica (sensação desagradável de persistência prolongada de alimentos no estômago), diarreias "misteriosas", prisão de ventre crônica e refluxo. Atenção, usuários crônicos de antiácidos, antibióticos e corticoides! Os sinais podem passar despercebidos por anos, daí a relevância de conhecer seu microbioma mais a fundo para corrigir esse desequilíbrio bacteriano. Além de fornecer pistas diagnósticas, os especialistas podem recomendar abordagens dietéticas ou medicamentosas com o intuito de moldar a população bacteriana de seu intestino e, assim, criar uma espécie de "blindagem intestinal" contra toxinas para reduzir a inflamação e doenças crônicas associadas. E não se preocupe que, mais adiante, falaremos também sobre essas estratégias alimentares que favorecem o microbioma.

MEU TRANSPLANTE FECAL

Nasci em 1974. Durante minha infância, como de praxe na época máxima de domínio da indústria farmacêutica, usei vários antibióticos para otites, faringites e amigdalites de repetição. Além disso, fui adepto de "omeprazóis" e afins por muitos anos para combater um refluxo gastroesofágico associado a minha obesidade (**Figura 12**). Antigamente, não se tinha noção do quanto os medicamentos (especialmente antibióticos)[8] podiam alterar a qualidade das bactérias intestinais, para o bem e para o mal. Isso sem contar que me tornei frequentador assíduo de *fast-foods* ao longo da vida, o que também atrapalha, e muito, todo o sistema gastrointestinal. Em suma: meu microbioma estava aniquilado, e isso explicava vários sintomas que me acompanharam por muitos anos, como sobrepeso, pré-diabetes, deficit de atenção, insônia e síndrome do intestino irritável. À medida que estudava e compreendia a importância do microbioma intestinal na saúde, modifiquei meu estilo de vida para reverter essa situação. Por dois anos, tentei de tudo: passei a usar probióticos encapsulados e segui a dieta mediterrânea, que, apesar de reduzir vinte quilos do meu peso corporal, não alterou os outros sintomas. Os golpes em meu intestino haviam sido duros demais. Foi quando decidi dar um *control-alt-del* em meu microbioma e me submeter a um transplante de fezes.

Com auxílio de um gastroenterologista, escolhi um doador: um familiar saudável, com hábitos vegetarianos. Os resultados de seus exames eram perfeitos, incluindo o de fezes. Marcamos o procedimento para o dia 30 de junho de 2018. Grávida de seis meses, minha esposa não se mostrou muito animada com a decisão. O que poderia dar errado, afinal? Na verdade, o transplante de fezes, no jargão científico chamado de "transferência de microbiota fecal", é um procedimento realizado rotineiramente no hospital onde leciono. No entanto, é utilizado apenas para combater uma infecção intestinal intratável chamada de colite pseudomembranosa, causada pela bactéria *clostridium dificile*. Essa medida salva a vida de 40 mil pessoas ao ano no mundo, sendo 14 mil delas no Brasil.[9] Os efeitos colaterais são praticamente inexistentes, a ponto de muitos profissionais afirmarem que é mais seguro do que uma transfusão sanguínea. Ele pode ser feito por sonda nasogástrica (pelo nariz), enema anal (pelo ânus), colonoscopia (endoscopia feita pelo ânus) e, com menos frequência, por fezes encapsuladas. O meu foi realizado por colonoscopia.

Na noite anterior ao grande dia, lancei mão de laxativos em grande quantidade. A ideia era eliminar o máximo possível dos microorganismos presentes em meu intestino. O mesmo preparo exigido, na verdade, para uma colonoscopia de rotina. Pela manhã, chamei um Uber, passei na casa do meu doador (que aqui não quis se identificar) para irmos juntos ao hospital. Eu ainda nauseado, e ele com vontade de fazer cocô. Na chegada, fui direcionado para o Serviço de Endoscopias. Já meu doador, subiu para o serviço de microbiologia, sob a supervisão de um biólogo acostumado ao procedimento. Ele era responsável pelo preparo das fezes do doador, que seriam colocadas em um mixer e diluídas em soro fisiológico. O resultado era uma verdadeira "bomba probiótica", depois dividida em diversas seringas para serem borrifadas em vários níveis de meu intestino via colonoscopia.

Em poucos minutos lá estava eu na mesa de procedimento. Recebi o anestésico enquanto conversava amenidades com a simpática anestesista. Fechei os olhos, e acordei já na sala de recuperação (o procedimento durou trinta minutos) com minha esposa segurando minha mão. Estava feito, agora era só esperar os resultados.

Após quatro dias sem evacuar, os efeitos começaram a ser notados. Inicialmente, comecei a dormir a noite toda, e eu não me lembrava da última vez em que isso tinha acontecido. Passei a ir ao banheiro apenas uma vez ao dia, bem diferente das minhas sete ou oito evacuações diárias, sintomas clássicos de minha síndrome do intestino irritável. Por meio de um biossensor de glicose implantado, observei uma mudança radical em minha glicemia. O índice, que costumava oscilar entre 90 mg/dl e 160 mg/dl, estabilizou-se em 110 mg/dl. Ao longo dos meses seguintes, além da insônia e do pré-diabetes, pude observar que, ao trocar meu microbioma, praticamente me curei do intestino irritável. Minha capacidade de atenção e de concentração também melhoraram com o tempo. Comprovei em mim mesmo os efeitos do transplante de fezes, até então evidentes apenas em modelos animais. De volta à minha rotina, mantive meus cuidados alimentares da mesma forma que antes do transplante. E para minha alegria, vários dos efeitos benéficos se tornaram perenes. Uma nota importante: gostaria de deixar claro que isso não quer dizer que todo paciente vai responder ao tratamento da mesma maneira que eu. Mais estudos com rigor científico devem ser feitos para comprovar o efeito do transplante de fezes para outras doenças. Por favor, não tente fazer isso em casa!

O fato chamou a atenção da mídia na época,[10] assim como de cientistas brasileiros e estrangeiros. Entre eles, a doutora Felice Jacka, diretora do Centro de Comida & Humor da Universidade Deakin (Austrália) e uma das fundadoras da Psiquiatria Nutricional, que entrou em contato comigo, na sequência, por e-mail. A Profa. Jacka, para quem não sabe, é uma das maiores estudiosas da relação entre microbioma e depressão, e pioneira da chamada "Psiquiatria Nutricional". Uma revisão de estudos conduzida por ela[11] avaliou a associação entre a qualidade da dieta e a depressão, concluindo que isso, ao menos em parte, é mediado pelo microbioma intestinal. O trabalho concluiu também que os sintomas depressivos levam ao aumento do consumo de alimentos açucarados e ricos em gordura, que, por sua vez, alteram o microbioma e, assim, exacerbam sintomas depressivos. O contrário também é verdadeiro: a melhora alimentar mostrou-se positiva na prevenção de sintomas depressivos. A doutora Jacka e seus colaboradores no artigo afirmam:

> Como ferramenta acessível e eficaz para modificar a composição·microbiana, a dieta pode ser uma alternativa mais aceitável ao uso de medicamentos com efeitos desagradáveis, particularmente em pacientes com sintomas mais leves de depressão. O que faz dela um objeto (de estudo) importante tanto para a prevenção quanto para o tratamento de desordens mentais.

Depois disso, alguém ainda duvida do papel da alimentação e do intestino na saúde global?

COMPROVEI EM MIM MESMO OS EFEITOS DO TRANSPLANTE DE FEZES, ATÉ ENTÃO, EVIDENTES APENAS EM MODELOS ANIMAIS.

BATISMO VAGINAL

Ter um filho por parto natural sempre foi nosso sonho. No entanto, algo inesperado aconteceu. No último mês de gravidez, a Tati, minha esposa, começou a sentir uma coceira por todo o corpo. Inicialmente, pensamos em alergia, mas, ao final, o diagnóstico foi de "colestase gravídica", algo muito raro e que pode evoluir para hepatite e morte da mãe e do bebê em pouco tempo. Os médicos nos deram duas opções: 1) induzir o parto normal, o que poderia levar longas horas ou 2) fazer cesariana na manhã seguinte. Ao estudar as vantagens e as desvantagens do parto normal e da cesariana, fiquei perplexo. A última aumenta as chances de obesidade, asma, depressão, ansiedade, autismo e distúrbios autoimunes no futuro.[12] Como assim? Quando nascemos, nosso microbioma intestinal começa a ser formado pelo contato do bebê com o canal do parto, que é cheio de bactérias (microbioma vaginal). Na cesárea, o bebê faz contato apenas com as poucas bactérias da pele da barriga da mãe, formando assim um microbioma intestinal com pouca diversidade. Essa "monotonia microbiômica" aumenta as chances de inflamação de nosso organismo e, por consequência, das doenças citadas acima.

Sabendo disso, visto que nosso filho não teria contato com as bactérias "certas" do canal do parto, propusemos à equipe de médicos que fosse realizado, logo após o nascimento do Lucas, um procedimento denominado "batismo vaginal" (em inglês, *vaginal seeding*), preconizado pela microbiologista Maria Gomes Domingues-Bello, da Universidade de Nova York.[13] A equipe médica ficou na dúvida, mas, como checamos que não havia efeitos colaterais descritos,[14] realizamos nós mesmos o procedimento. Um dia antes do parto, coletamos secreção vaginal de minha esposa e colocamos o material em um recipiente estéril. Algumas horas depois do nascimento, então, eu e a Tati esfregamos delicadamente o material com uma gaze no rostinho e em todas as dobrinhas do pequeno Lucas para simular o contato com as bactérias do canal vaginal. Esperamos, dessa forma, contribuir para a formação de um microbioma intestinal saudável em nosso filho e prevenir uma série de doenças no futuro. Coincidência ou não, já se passaram quase dois anos e o Luquinhas vai muito bem, obrigado!

REGANDO O SEU JARDIM

O transplante de fezes foi um procedimento extremo para restaurar meu microbioma e não deve ser realizado rotineiramente para esse fim. Para garantir a saúde de seu microbioma, basta "regar bem o seu jardim", que é a maneira como costumo chamá-lo. Como se tornar o melhor jardineiro que o seu intestino já viu, então? Muitos fatores influenciam a saúde intestinal, como atividade física, grau de estresse e uso de medicamentos ou alimentos processados. A comida é um dos mais importantes. Para cuidarmos bem do nosso jardim, o melhor caminho é evitar comer "porcarias" e adotar uma dieta rica em vegetais variados (prebióticos) e em alimentos fermentados, também chamados de probióticos, tais como quefir, kombucha, missô, tempê, chucrute e muitos outros. Felizmente, qualquer alimento pode ser fermentado (privado de oxigênio por uns dias), vale destacar. Costumo dizer, aliás, que isso devia ser ensinado nas escolas. À propósito, fermentar um alimento é muito fácil e barato: basta colocar qualquer vegetal dentro de uma jarra de vidro cheia de água com sal, vedá-la muito bem com papel-filtro e aguardar duas semanas. Está pronto o seu probiótico! Confira um vídeo e um *e-book* com o passo a passo nos QR Codes no final do capítulo.

PARA CUIDARMOS BEM DO NOSSO JARDIM, O MELHOR CAMINHO É EVITAR COMER "PORCARIAS" E ADOTAR UMA DIETA RICA EM VEGETAIS VARIADOS (PREBIÓTICOS) E EM ALIMENTOS FERMENTADOS, TAMBÉM CHAMADOS DE PROBIÓTICOS.

Para ter uma ideia da importância de um microbioma saudável, conheça o revolucionário trabalho dos pesquisadores israelenses Eran Segal e Eran Elinav, ambos do Weizmann Institute of Science (Israel). Em artigo publicado na prestigiosa revista *Cell*,[15] os pesquisadores analisaram o impacto de vários alimentos nos picos de glicose de oitocentos indivíduos saudáveis com o auxílio de um biossensor implantado sob a pele (o mesmo que utilizei na ocasião de meu transplante). Esse dispositivo é capaz de medir os níveis de glicose no sangue a cada minuto. Ao final do estudo, Segal e Elinav concluíram que a resposta glicêmica aos alimentos é muito individual. Para alguns, o nível de açúcar pode se elevar após a ingestão de uma banana, e para outros, de um biscoito. Veja o caso particular de dois voluntários com

CAPÍTULO 8: Medicina Personalizada

nomes fictícios (**Figura 13**). Para Susie, o biscoito causou pico de glicose após trinta minutos, e não a fruta. Já para Tom, o efeito foi inverso. Isso prova como somos indivíduos singulares e que reagimos de forma distinta aos mesmos alimentos. De acordo com a pesquisa, não existe uma dieta que vale para todos, como muitos defendem. E tem mais: quanto maior a diversidade do microbioma intestinal, menor o impacto do alimento nos valores da glicose. Em outras palavras, tratando bem nosso "jardim", podemos evitar a inflamação de todo o organismo e, por consequência, todas as doenças associadas – até mesmo a de Alzheimer, cuja relação com picos de glicose já foi comprovada cientificamente.[16] O livro *O lado bom das bactérias*, do meu amigo Alessandro Silveira aborda de forma mais profunda as doenças implicadas nos desequilíbrio das bactérias intestinais. O livro será lançado em 2021 pela Editora Gente.

É bom lembrar que, além do intestinal, existem os microbiomas cutâneo, nasal, bucal e genital. Dediquei a maior parte do capítulo ao primeiro por ele ser extremamente personalizado e mais estudado. E também, é claro, por ter vivido uma experiência de "troca de meu microbioma" que impactou positivamente minha saúde. Os avanços do microbioma, os Omics e a centralização do cuidado no paciente estão transformando a prática médica, tornando-a mais personalizada e, por consequência, mais eficiente. A Medicina de Precisão destacou-se inicialmente na Oncologia e na Psiquiatria, os resultados nessas áreas têm sido tão favoráveis que estão se proliferando para outras especialidades médicas. Nas palavras do ex-presidente Barack Obama,[17] um dos entusiastas do assunto:

> Essa é a promessa da Medicina de Precisão – entregar os tratamentos certos, no momento certo, para a pessoa certa, sempre. E para um pequeno, mas crescente número de pacientes, o futuro já começou.

Recentemente, ao publicar um artigo no Jornal *Zero Hora* sobre a importância de uma abordagem mais individualizada na saúde,[18] recebi um e-mail de um ex-aluno de Medicina. Na mensagem, o jovem me contou que acreditava que a Medicina baseada em evidências teria sido a responsável por um tratamento desastroso ao qual fora submetido para tratar um quadro depressivo. Segundo ele, os medicamentos que utilizou eram parte de rígidos protocolos baseados em evidência que nunca lhe trouxeram nenhum alívio. "Experimentei todos os efeitos colaterais possíveis e imagináveis, tornando minha vida acadêmica inviável, o que culminou na minha dolorosa saída da faculdade", contou. Com esse novo – e urgente! – olhar sobre o que o paciente realmente precisa, espero que histórias como a desse rapaz tenham finais mais felizes.

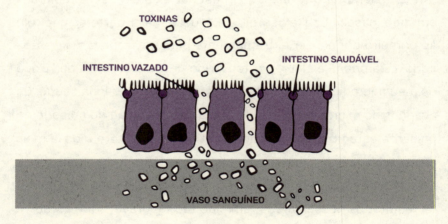

FIGURA 10. A síndrome do intestino vazado (*leaky gut*, em inglês) causa inflamação no organismo.

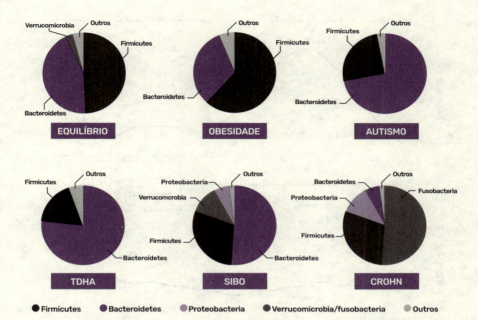

FIGURA 11. Análise do microbioma de alguns pacientes: diferentes condições clínicas podem ser associadas ao estado do genoma.

FIGURA 12. Pedro Schestatsky antes e depois de adotar mudanças no estilo de vida.

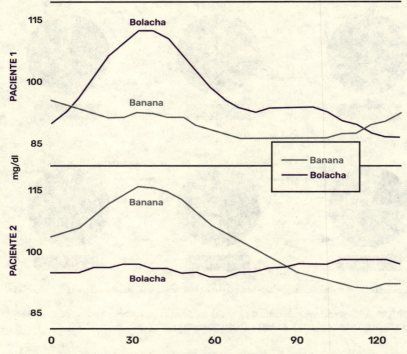

FIGURA 13. Gráfico sobre picos de glicose em dois pacientes que participaram de um estudo do Instituto de Ciências Weizmann (Israel).[19]

 Confira o passo a passo de como criar o seu probiótico! Basta apontar a câmera do seu celular para os QR Codes abaixo:

Vídeo   E-book

OS AVANÇOS DO MICROBIOMA, OS OMICS E A CENTRALIZAÇÃO DO CUIDADO NO PACIENTE ESTÃO TRANSFORMANDO A PRÁTICA MÉDICA.

MEDICINA PARCEIRA: O MÉDICO AMIGO E CURADOR DE DADOS

Em 2013, os pesquisadores britânicos Carl Frey e Michael Osborne publicaram um artigo chamado *The future of employment: how susceptible are jobs to computerisation?* (*O futuro do trabalho: quão suscetíveis são os empregos para a informatização?*, em livre tradução do inglês)[1] Com a ajuda de um algoritmo, a pesquisa avaliou a probabilidade de várias profissões deixarem de existir nos Estados Unidos em virtude da automação (isto é, de sistemas eletrônicos e mecânicos que dispensariam a intervenção direta de seres humanos). As estimativas de Frey e Osborne levam a crer que 47% delas podem acabar, sim, nos próximos dez ou vinte anos. O site *Will Robots Take My Job?*[2] (*Os robôs vão roubar o meu trabalho?*, em livre tradução do inglês) adicionou mais alguns dados à pesquisa e criou uma ferramenta em que é possível calcular se sua profissão faz parte dessa estatística. Você está curioso para descobrir qual é a previsão a respeito de seu trabalho? (Entre no site e digite sua profissão. É divertido!) Pois eu não fiquei nem um pouco surpreso ao saber que o risco dos médicos, nesse caso, é muito baixo: 0,4% para ser mais exato. A título de comparação, a chance de os motoristas de táxi serem "extintos" é de 89%, e a dos contadores é de 94%. Por essa razão, o quinto e último "P" corresponde a uma nova aposta na função do profissional da saúde daqui por diante, a Medicina Parceira.

Você já viu que, com o advento dos Omics, vamos produzir cada vez mais dados ao longo de nossas vidas. Para você ter uma ideia, só um sequenciamento genético (genoma) ocupa o equivalente a 1 terabyte de memória.[3] Isso significa 1 trilhão de bytes, o mesmo que trezentas horas de vídeos em alta qualidade.[4] Mas a conta não para por aí. Para armazenar os dados produzidos por aplicativos de saúde são necessários cerca de 2 terabytes, e para o microbioma, 3 terabytes.[5] Atualmente, consultores, executivos e demais fãs da digitalização costumam dizer que dados são o novo petróleo.[6] A frase, que já se tornou um mantra no mundo dos negócios, reflete a importância dos dados. Tanto que o CEO da Mastercard Ajay Banga declarou, em um evento realizado na cidade de São Paulo em 2019, que a comparação faz todo o sentido, exceto por um detalhe: "A diferença é que o petróleo vai acabar um dia. Os dados, não".[7] Acrescento aqui mais uma reflexão: dados, por si só, são apenas dados soltos. É verdade que a tecnologia pode auxiliar o paciente a conhecer e a cuidar melhor de si mesmo, por meio de aplicativo, biossensores (também chamados de vestíveis ou implantáveis) ou sequenciamento genético. No entanto, ele precisa do apoio do médico para interpretar o significado desses dados. E o mais importante: saber o que fazer com eles.

Por mais simples e intuitivo que seja o app de sono sincronizado com seu vestível (como o Applewatch ou o Fitbit, entre outros), as

CAPÍTULO 9: Medicina Parceira **159**

informações de nada valem se você: a) não entender as fases do sono; b) não compreender por que desperta tanto durante a noite; c) não descobrir o que tem de fazer para melhorar a avaliação feita pelo app; d) não souber se existe indicação de medicamentos; e, por fim, algo fundamental: e) se o dispositivo não tiver validação científica. Ou seja, alguém capacitado deve "traduzir" tudo, separando o que é útil do que não tem relevância, como se fosse um gestor ou curador de dados.

E é claro que o médico também vai se beneficiar disso. Recentemente, encontrei em meus arquivos as anotações de um paciente que, dia após dia, aferia e escrevia sua pressão arterial em uma folha de papel. Além da trabalheira para anotar as informações todos os dias, ao final de um mês, eu tinha de avaliar as diversas folhas, frente e verso, para tirar dali uma média e, por fim, um diagnóstico. Algo que hoje um vestível associado a um aplicativo faz instantaneamente. Além de ficar armazenado para toda a vida. E isso reduz a minha função como médico? De forma nenhuma, pois posso ter mais tempo disponível para me conectar com meu paciente e me concentrar em seu problema. Não foi para isso que ele me procurou, em primeiro lugar? Sai de cena a figura do médico paternalista, aquele que muitas vezes até mesmo se senta em uma cadeira mais alta a fim de "impor respeito", para dar lugar à figura do médico parceiro, criando um relacionamento horizontalizado.

LADO A LADO

Esse rearranjo, digamos assim, mexe a fundo com a relação médico-paciente e divide a responsabilidade entre ambos, como tem de ser. No entanto, de acordo com uma revisão de estudos feita na

SAI DE CENA A FIGURA DO MÉDICO PATERNALISTA PARA O MÉDICO PARCEIRO, CRIANDO UM RELACIONAMENTO HORIZONTALIZADO.

Suíça,[8] quando as pessoas são estimuladas a assumir o controle total de seu tratamento, podem menosprezar a opinião do médico. É aquela velha história: uma pessoa apresenta um mal-estar, vai ao médico, sai com uma receita e nunca mais volta, conhece? Por isso, o ideal, aqui, é que sejam parceiros, em vez de cada um por si. Os pesquisadores concluíram:

> Nossas descobertas indicam que uma visão equilibrada seria a mais benéfica para facilitar a adesão, uma situação em que as crenças dos pacientes na sua própria capacidade de controlar sua saúde estão simultaneamente presentes com o reconhecimento do papel do médico no gerenciamento de doenças.

Em meu consultório, vejo essa transformação de *mindset* todos os dias, uma vez que incentivo meus pacientes a participar ativamente do tratamento. Como aconteceu no ano passado com a Paula (nome fictício), vítima de uma lesão inflamatória dos nervos periféricos que geravam fraqueza nas mãos e nos pés (que na

CAPÍTULO 9: Medicina Parceira

Medicina se chama neuropatia autoimune). Curiosa, ela me pediu dicas de sites médicos confiáveis, pois queria se informar mais sobre seu problema. Nas consultas seguintes, trouxe alguns artigos científicos para debater comigo e discutir o tratamento. De acordo com suas pesquisas, ela identificou-se com certo tipo de medicamento (metotrexato) por conta da posologia e do perfil de efeitos adversos. Como eu já tinha bastante experiência com esse medicamento, respeitei a opinião da paciente e fiz a prescrição nas doses corretas. A partir daí, Paula começou a tomar a medicação como se estivesse participando de uma experiência, observando os efeitos dessa medicação em seu corpo. Ela sabia que não era um mero fantoche ali. E deu supercerto, não foi necessário ajustar a dose, e a doença está sob controle há mais de dois anos.

Daqui por diante, cada vez mais as novas tecnologias vão facilitar essa conexão. Atualmente, uso um software de inteligência artificial. Ele funciona como um questionário on-line, em que o paciente responde com duas semanas de antecedência à consulta cerca de mil perguntas sobre os mais variados tópicos. O que já é, por si só, terapêutico, pois ele aborda questões familiares, de hábitos de vida e de automotivação. Algo impossível de ser feito em uma consulta de trinta minutos, concorda? Ao final, o software analisa e cria vários gráficos ilustrativos, tais como uma linha do tempo de todos os acontecimentos relevantes na vida do paciente (**Figura 14**) e uma matriz que aponta caminhos a serem seguidos (**Figura 15**). São meras sugestões que geralmente funcionam e que podem ser avaliadas pelo profissional antes do dia da consulta.

Por exemplo, certa vez um paciente veio ao meu consultório por apresentar dificuldade de raciocínio, também chamado de "cérebro nebuloso" (*foggy brain*, em inglês). Somando todas as respostas do paciente relativas aos seus hábitos e sintomas, o software mostrou grande atividade inflamatória e um pico na área que classifica de *Biotransformação e Eliminação*. Isso me levou a solicitar ao paciente um painel completo de metais pesados no sangue, que, por sua vez, detectou intoxicação por alumínio. O paciente foi tratado com um quelante (substância neutralizadora de metais) e reverteu rapidamente seus sintomas cognitivos. Esse software também tem sido de grande utilidade na hora de interpretar mutações falso-positivas no genoma de meus pacientes.

Outro tipo de dispositivo que melhora a produtividade do médico de maneira semelhante é o que permite a transcrição do áudio da consulta em texto, como o Amazon Transcribe Medical®. O mecanismo é simples: o programa grava a conversa entre médico e paciente, liberando o primeiro de preencher formulários no computador, de modo que possa oferecer a devida atenção ao segundo. Porque o "olho no olho", ninguém substitui. Foi o que comprovei quando um querido amigo sofreu um AVC em 2019. O derrame causou uma afasia global, ou seja, a perda da linguagem. Ao visitá-lo na UTI, em pleno Carnaval, "conversamos" pelo olhar e pelo toque. Um vínculo, pelo menos até agora, impossível de ser estabelecido com uma máquina.

Terminada a consulta, o texto do Transcribe Medical pode ser enviado diretamente ao paciente em formato de relatório – direito do paciente – ou armazenado no prontuário eletrônico para consultas posteriores, o que também tem utilidade na revisão de procedimentos de cirurgias. Como se fosse a análise de uma caixa-preta de um avião, com o intuito de compreender erros e acertos. Esse tipo de laudo por voz, aliás, já é usado com frequência em algumas especialidades como a radiologia[9] e tem, ainda, outra "vantagem": o fim dos garranchos médicos nas prescrições.[10]

EM MEU CONSULTÓRIO, VEJO ESSA TRANSFORMAÇÃO DE *MINDSET* TODOS OS DIAS, UMA VEZ QUE INCENTIVO MEUS PACIENTES A PARTICIPAR ATIVAMENTE DO TRATAMENTO.

NOVOS DESAFIOS

Assim como as informações do prontuário médico, os dados eletrônicos também pertencem ao paciente. Como você viu no **Capítulo 3**, existem leis que garantem a confidencialidade e o acesso do paciente ao seu histórico médico. Com o advento dos prontuários eletrônicos, aos quais os dados produzidos pelos Omics também poderão ser incluídos, quem garante a proteção quando tudo isso "cair na rede"? A jornalista de saúde Cristiane Segatto chamou a atenção para o lado bom e o lado ruim do compartilhamento de dados, em sua coluna no *UOL*.[11] Entre os aspectos positivos, ela lembra que a unificação e o compartilhamento de dados individuais e populacionais podem levar a diagnósticos mais precisos. Isso porque devem alimentar ainda mais os algoritmos de IA e contribuir para tratamentos mais assertivos. E tudo isso, indiretamente, vai otimizar tempo e dinheiro. É o que eu chamo de Medicina vida real. Segundo a nova lei, as empresas que coletam nossos dados não têm o direito de compartilhá-los a fim de obter vantagem econômica, negar acesso ou excluir beneficiários (nos planos de saúde, por exemplo).

O receio do roubo de dados tanto para fins fraudulentos como comerciais, aliás, acomete 80% dos norte-americanos – estatística que não deve ser muito diferente no Brasil. Um dos maiores desafios aqui, então, seria cercear a coleta excessiva dos dados por parte das empresas. Outra alternativa, a mais eficaz até agora em minha opinião, é usar a própria tecnologia para protegê-los, fazendo uso do *blockchain*, como no app desenvolvido por Vanessa Nicola Labrea descrito no **Capítulo 3**. Seja como for, por ora, acho que as vantagens ainda superam os riscos, e muito. Lembre-se de que você pode, e deve, incluir seu médico – que é o seu parceiro, afinal – nesse debate.

CAPÍTULO 9: Medicina Parceira

Por fim, a Medicina Parceira também inspira mudanças profundas na prática médica, assim como os demais Ps. E elas não podem deixar de fora o currículo das faculdades de Medicina. Para se tornar o parceiro do paciente nessa jornada, o profissional terá de ampliar seus conhecimentos – e aprender desde culinária até *Big Data*, sem se esquecer de outros temas mais específicos ainda, como telemedicina e bioinformação. Falaremos mais sobre isso no capítulo seguinte. E, vale lembrar, à medida que a tecnologia tem evoluído "para cima", a uma velocidade exponencial, os preços dos serviços e dos dispositivos relacionados estão indo "para baixo". Quem interpretará tantos genomas, se no país atualmente existem apenas 305 geneticistas ou um para cada 700 mil habitantes?[12] O próprio paciente, com o apoio de seu médico, parceiro e curador de seus dados! Assim, a profissão de médico não vai acabar, mas sim se reinventar – como veremos a seguir.

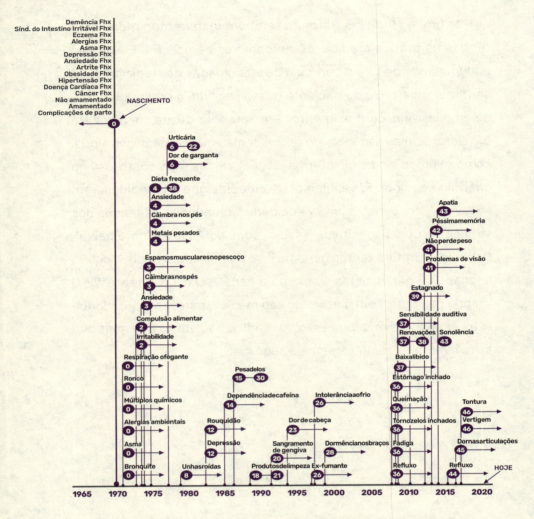

FIGURA 14. Gráfico criado pelo software de inteligência artificial Living Matrix®, que monta uma timeline da saúde do paciente.

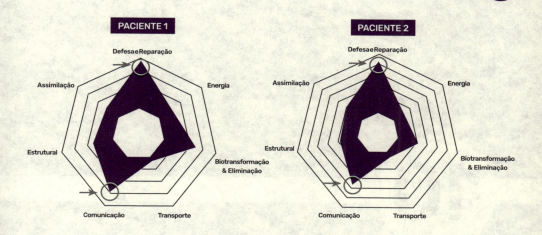
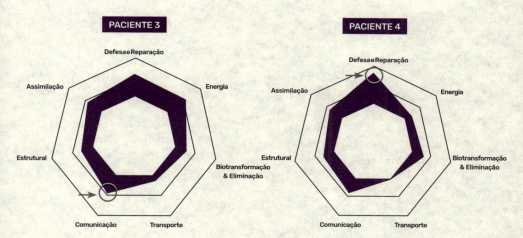

FIGURA 15. O gráfico criado pelo software de inteligência artificial Living Matrix® faz sugestões ao profissional de saúde, de acordo com um questionário respondido pelo paciente.

10

A REINVENÇÃO DA MEDICINA

Todos os anos, a Sociedade Internacional de Pesquisas e Resultados em Farmacoeconomia (ISPOR) publica uma lista de tendências em saúde.[1] Gostaria de iniciar este capítulo comentando de maneira breve cada um dos itens relativos ao ano de 2020, e que provavelmente se estenderão ao longo desta década:

1. **Medicina baseada em dados do mundo real (em inglês, *real-world medicine*).** Utilizaremos mais dados oriundos de prontuários e celulares do que de estudos científicos.

2. **Preço dos medicamentos.** A instituição faz um alerta: apesar do debate, não houve muito progresso nesse sentido, uma vez que a questão dos preços se depara com os temores de prejudicar a inovação no setor. Seguimos lutando, então!

3. **Novas terapias curativas.** Apesar do lançamento de novos medicamentos para tratar condições raras, como atrofia muscular espinhal, fibrose cística e talassemia beta, mais uma vez o alcance esbarra nos custos dos tratamentos.

4. **Gastos totais com cuidados médicos.** A Organização Mundial da Saúde (OMS) estima que os gastos com saúde alcancem 7,5 trilhões de dólares ao ano, o equivalente a 10% do PIB mundial. Para redução de gastos, surge a alternativa do "custo por unidade de efeito" ou da "precificação baseada em valor". Ambas as modalidades preconizam que o preço de um medicamento deve ser proporcional à sua eficácia.[2]

5. **Cobertura universal de saúde – Acesso e Equidade.** Segundo dados da OMS, pelo menos metade da população mundial não tem cuidados básicos de saúde garantidos, por isso, esse assunto permanece em evidência na lista.

6. **Modelos alternativos de pagamento baseados em resultado.** Buscam-se novas maneiras de remunerar os profissionais e de pagar por tratamentos de acordo com a melhora do paciente. Ou seja, o médico seria pago por performance, não somente por quantidade de serviço.

7. **Transparência nos preços.** A falta de clareza em relação aos preços de serviços e produtos de saúde atrapalha possibilidades de negociação.

8. **Tecnologias digitais.** A tecnologia avança de maneira exponencial na área médica e tem potencial para transformar a prestação de cuidados de saúde e a avaliação de resultados – e, por essa razão, o tópico estreou na lista de 2020.

9. **Envelhecimento populacional.** Essa tendência vai impactar a longo prazo todo o sistema de saúde mundial em um futuro próximo. O Japão, país em que 28% da população já está acima

de 60 anos, é um exemplo a ser seguido no que diz respeito a novas abordagens no atendimento a pacientes da terceira idade.

10. **Medicina de Precisão.** Personalizada ou de Precisão, tanto faz, uma vez que ambos os termos se referem ao mesmo princípio. O fato é que esse tipo de Medicina é um campo em expansão e que, obviamente, se cruza com o crescimento do *Big Data*.

Como você pode notar, trata-se não apenas de um relatório de tendências, mas também de reflexões sobre a Medicina do futuro. Não é coincidência, portanto, o fato de termos conversado sobre todos esses tópicos ao longo do livro. Todavia, para que essas e outras transformações aconteçam, nós, médicos, temos de mudar a maneira de enxergar e praticar a Medicina. Em outras palavras, precisamos nos reinventar.

NOVAS HABILIDADES...

Percebo certa resistência de alguns colegas em relação a tantas mudanças, boa parte delas por influência de novas tecnologias. O medo do novo é normal e esperado, especialmente ao tratarmos de vidas humanas. Talvez por isso, 90% dos médicos nos Estados Unidos ainda se sintam desconfortáveis e relutem em tomar decisões com base nas informações genômicas de seus pacientes.[3] Por outro lado, nem todos os profissionais recebem essas inovações de maneira negativa. Somente dois anos após a descoberta dos raios X por Wilhelm Röntgen, uma vez comprovada sua eficácia para "fotografar" o interior do corpo humano, dezenas de livros sobre o assunto já haviam sido publicados no mundo todo – e isso aconteceu em 1898, veja bem.[4] O cientista biomédico e de computação Renato M. E. Sabbatini, um dos pioneiros no desenvolvimento e aplicação de tecnologias de informação e comunicação na Medicina, em um artigo publicado recentemente na revista Época *Negócios*,[5] afirmou:

> O que médico não gosta é de tecnologia malfeita, que atrapalha, que não contribui para os processos de diagnóstico e tratamento, que demora muito ou que subverte só por subverter procedimentos consagrados.

É disso que estou falando!

A resistência, conforme observo como professor universitário, tende a ser menor entre os médicos recém-formados. Já os estudantes de Medicina, no entanto, ainda estão "presos" a um currículo defasado, que não engloba as novas aptidões necessárias para que esses futuros profissionais de saúde dominem as novas tecnologias – e não o contrário. Para uma formação mais completa, novos (e também os já experientes) médicos deveriam aprender também a partir de agora sobre: biossensores (vestíveis ou implantáveis) e aplicativos de saúde; *Big Data* e Inteligência Artificial aplicada à Medicina; telemedicina (uso da tecnologia para aproximar médicos e pacientes, de maneira remota, de modo que amplie a entrega de laudos e diagnósticos) e até mesmo *biohacking*, movimento cujo propósito é "hackear" o corpo humano, a fim de melhorar seu funcionamento e durabilidade.[6]

Não podemos nos esquecer de um dos pré-requisitos mais importantes, isto é, a necessidade de aprimorar os conhecimentos genéticos. Isso significa estudar não apenas a transmissão hereditária das características de um organismo a outro, que são a base da genética clássica, mas também a interação dos genes com o ambiente (epigenética) e a relação deles (sejam um ou vários genes) com as mais

NÓS, MÉDICOS, TEMOS DE MUDAR A MANEIRA DE ENXERGAR E PRATICAR A MEDICINA. EM OUTRAS PALAVRAS, PRECISAMOS NOS REINVENTAR.

diversas doenças – de preferência, antes que elas apareçam. E essa sugestão não vale apenas para os geneticistas. Em uma palestra do Grand Round do Hospital de Clínicas de Porto Alegre, em meados de 2019, o médico-geneticista Sérgio Danilo Pena, professor da Faculdade de Medicina da Universidade Federal de Minas Gerais e um dos mais reconhecidos na área, foi categórico: "no futuro, todos os médicos serão geneticistas".

No entanto, não são apenas essas aptidões modernas, por assim dizer, que vão fazer a diferença no currículo dos médicos do amanhã, tanto para libertá-los de burocracias quanto para aproximá-los dos pacientes com a ajuda da tecnologia. Práticas simples, e talvez por isso menosprezadas por muitos profissionais médicos, também contam. A primeira e mais importante é a culinária. Inúmeros estudos vêm demonstrando a influência da alimentação na criação da saúde.[7] Mesmo assim, ainda hoje, o assunto é pouco estudado nas faculdades e hospitais que formam médicos pelo país. Sobram conceitos ultrapassados, tais como "exercícios emagrecem", "calcule suas calorias ingeridas", "coma de três em três horas", "sucos e cereais fazem bem à saúde", "gorduras são mortais", só para citar alguns clássicos, e faltam abordagens mais individualizadas e alinhadas com as novas descobertas. Isso sem falar do desconhecimento sobre nutrição básica. Se o microbioma está por trás da prevenção e do combate de incontáveis doenças, como já citei antes, não seria imprescindível que os médicos soubessem, pelo menos, como fermentar alimentos e o que são e para que servem os probióticos e os prebióticos? Ainda hoje, poucos deles estão familiarizados com esses temas, essenciais para evitar a inflamação e doenças crônicas decorrentes.

Outra disciplina que, em minha opinião, também deveria constar no currículo dos profissionais de saúde é a entrevista motivacional.

Trata-se de um estilo de conversa colaborativa com o intuito de estimular o paciente a substituir comportamentos de risco por novos hábitos.[8] A técnica surgiu nos anos 1980, criada pelos psicólogos norte-americanos William Miller e Stephen Rollnick, com a função original de tratar dependentes químicos. Contudo, mostrou-se eficiente no acompanhamento de diversos males, de diabetes à obesidade, assim como na promoção da saúde. Em resumo, baseia-se na colaboração entre paciente e profissional, com respeito à autonomia do primeiro. Algo que você já aprendeu por aqui, certo?

... E ESPECIALIZAÇÕES

Paralelamente às novas aptidões, estão surgindo também diferentes especializações na área da saúde. De acordo com uma pesquisa da Fundação Instituto de Administração,[9] órgão ligado à Faculdade de Economia, Administração e Contabilidade da Universidade de São Paulo, as profissões mais promissoras estão ligadas às áreas de sustentabilidade, saúde e qualidade de vida e tecnologia da informação. Por exemplo: o engenheiro biomédico e hospitalar, responsável por equipamentos de alta precisão; o técnico em telemedicina, que vai colher informações por telefone, mensagens ou videoconferências e repassá-las à equipe médica; o bioinformacionista, profissional que utiliza conhecimentos de genética e medicamentos para elaborar tratamentos específicos; gestor de saúde ou de qualidade de vida, que atua na melhoria dos ambientes de trabalho; e o auxiliar de saúde em domicílio, cuidador ou agente de saúde, que vai até a casa do paciente, em especial o da terceira idade, para liberá-lo do estresse e do risco dos hospitais. E provavelmente muitas outras especializações que ainda nem fazemos ideia do que sejam!

Essa verdadeira reinvenção da Medicina também está na pauta de governos do mundo inteiro. Recentemente, o National Health Service (NHS), nome oficial do sistema de saúde britânico, lançou um documento chamado *Preparing the workforce to deliver the digital future*[10] (Preparando a força de trabalho para entregar o futuro digital, em livre tradução do inglês) com o intuito de listar obstáculos e soluções no treinamento de profissionais de saúde. O documento destaca: "A integração bem-sucedida de qualquer nova tecnologia ou sistema no local de trabalho exige trabalhadores altamente engajados e adequadamente treinados". No entanto, existem barreiras para adotar essas mudanças tecnológicas na área da saúde, entre elas: falta de confiança nas novas tecnologias, más experiências no passado com registros eletrônicos de saúde, medo da velocidade das mudanças e sensação de despreparo para lidar com tantos sistemas novos. Por fim, o artigo alerta: "não há tempo a perder".

DE PACIENTE A "AGENTE"

Nesse novo cenário, o paciente evolui para "agente". De acordo com uma pesquisa feita pelo Instituto Lado a Lado pela Vida com a revista *Saúde*,[11] 56% das pessoas buscam informações sobre saúde com o médico, 53% no Google, 38% em sites de notícias e 34% nas redes sociais. Isso demonstra que, além de informado, o paciente está interessado. Essa "virada" de *mindset* é o primeiro passo, aliás, para ele se tornar protagonista de sua saúde. "OK, entendi, Pedro! Quero entrar nessa também. Mas quais são os próximos passos?" Caso você esteja com essa dúvida, calma, que eu estou aqui para nortear seu caminho. Como falei no **Capítulo 2**, em que expus minha luta para retomar o controle sobre minha saúde, tamanha

CAPÍTULO 10: A reinvenção da Medicina

evolução envolve alterações globais, isto é, na maneira de comer, de movimentar o corpo, de encarar a vida. Assim, proponho que você adote também meu mantra de vida: movimento, alimento e pensamento. Ou, se você preferir, MAP, que não por acaso significa *mapa*, em inglês. No começo do livro, expliquei o conceito, agora vamos à prática, em poucas palavras:

MOVIMENTO: para começar essa jornada rumo à criação de sua saúde, não custa lembrar: o sedentarismo pode levar ao surgimento de inúmeras doenças. Uma pesquisa feita na China com 417 mil pessoas mostrou que o grau de atividade física é inversamente proporcional ao risco de morte. Ou seja, quanto mais exercícios físicos você faz, menos chance tem de morrer.[12] Nem todo mundo, porém, gosta de frequentar academias. Por sinal, eu me incluo nesse grupo. Que tal se movimentar mais no dia a dia? A palavra-chave é "desconveniência", movimento que está crescendo no planeta. Lembro-me de que, quando eu tinha carro, buscava sempre o local mais perto para estacionar – a danada conveniência em cena! Para fugir disso e se juntar ao movimento, você pode subir escadas, evitar ficar muito tempo sentado, fazer reuniões ao caminhar, deixar o carro na garagem, limpar a casa, praticar jardinagem, e assim por diante. Como falei antes, eu optei por fazer quase tudo a pé. Quanto andar? Confira na tabela abaixo, que foi baseada em um importante estudo de revisão:[13]

PROPONHO QUE VOCÊ ADOTE TAMBÉM MEU MANTRA DE VIDA: MOVIMENTO, ALIMENTO E PENSAMENTO.

PASSOS POR DIA	GRAU DE ATIVIDADE
<5 000 passos	Sedentarismo
5 000 a 7 499	Baixa
7 500 a 9 999	Moderada
>10 000	Alta
>12 500	Super!

Um incentivo divertido para caminhar é o aplicativo *Sweatcoin*[14] (moeda de suor, em português). A cada mil passos, você ganha uma "moeda", que pode ser trocada por produtos ou doações a organizações filantrópicas. Essa iniciativa é linda, pois estimula a saúde e a generosidade entre as pessoas. Por ora, o serviço só funciona em alguns países, como Estados Unidos, Canadá e Austrália. No entanto, a empresa por trás do app espera que, em breve, ela faça do planeta um lugar melhor para viver. Na torcida! Não podemos nos esquecer de que um corpo que se movimenta com frequência ganha mais força, flexibilidade e equilíbrio, fundamentais, à medida que envelhecemos, para a prevenção de sarcopenia (espécie de "Alzheimer" do músculo) e quedas, uma causa importante de mortalidade em idosos.

ALIMENTO: no livro *A dieta personalizada*,[15] que foi baseado no estudo sobre como a alimentação influencia a saúde, os autores destacam a importância de observar os efeitos que cada alimento causa no organismo – o que lhe dá mais energia ou sono, por exemplo? Essas descobertas podem ser feitas com maior precisão por meio de exames laboratoriais e, principalmente, do uso de biossensores implantáveis na pele para monitorar os picos de açúcar. Entre as dicas (que valem para todos) apresentadas no livro, estão: mantenha um cardápio variado no dia a dia, porque assim poderá garantir todos os nutrientes de que precisa; coma fibras, uma vez que elas servem de alimento para as bactérias "do bem"; equilibre as porções alimentares; coma menos, pois quanto menor a quantidade, maior a longevidade;[16] e, por fim, experimente! Ainda que a base de sua alimentação seja formada por alimentos que mantenham seu nível de glicose e seu microbioma em índices saudáveis, vale a pena continuar provando coisas novas. Com essa atitude você, finalmente, vai se libertar dos paradigmas alimentares e ter uma relação melhor com a comida. Pode apostar.

Mas veja bem, os benefícios de uma alimentação saudável vão além do emagrecimento. Uma pesquisa australiana[17] mostrou, por exemplo, que a dieta ocidental (rica em calorias e pobre em nutrientes) está associada à diminuição do hipocampo, estrutura cerebral ligada à memória e ao aprendizado. Tão ou mais importante do que comer é "não comer". O jejum intermitente, que consiste em ficar sem comer de dezesseis a dezoito horas, é um bom exemplo. Embora apareça nas mídias como promessa para perder peso, uma recente revisão de estudos publicada no *The New England Journal of Medicine*[18] apontou as verdadeiras vantagens do jejum intermitente que ninguém imaginava: diminuição da produção de radicais livres, supressão da inflamação e melhora da resistência insulínica e de doenças imbatíveis, como Alzheimer, Parkinson, artrite, câncer, asma e depressão e, portanto, possivelmente maior qualidade de vida e longevidade. Basta olhar a foto dos dois macaquinhos ao final deste capítulo e dizer quem é o mais jovem (**Figura 16**).

Com base nesses e em outros estudos sobre alimentação de fontes confiáveis, desenvolvi As 7 Pérolas da Alimentação (**Figura 17**), inspirada na consagrada dieta mediterrânea. Para entendê-la, vale a pena aprofundar seus conhecimentos em proteínas, gorduras e carboidratos – recomendo o livro *Este não é mais um livro de dieta*, de Rodrigo Polesso.[19] Em resumo, ela consiste em dividir as refeições entre café, almoço e jantar, além de dois lanches à base de oleaginosas entre elas, se necessário. Os vegetais devem ser abundantes (pois melhoram o microbioma), e as carnes encaradas mais como acompanhamento do que prato principal, para reduzir a inflamação associada ao seu consumo.[20] Detalhe: a última refeição do dia deve ser feita três horas antes de ir para a cama, o que, somado às oito horas de sono, equivale a um jejum de pelo menos onze horas. Para finalizar, uma última dica do consagrado escritor e ativista do mundo gastronômico Michael Pollan:[21] "Coma comida de verdade, de preferência vegetais, mas não muito." Amém.

PENSAMENTO: você sabia que nossas células "nos escutam"? Estresse, devaneio, ruminação, pessimismo, hostilidade, contrariedade e hiperconexão digital impactam o tamanho de nossos telômeros. E quanto menor o telômero, já sabe, mais rápido envelheceremos. Toda vez que você estiver com pensamentos ou na presença de pessoas "tóxicas", então, lembre-se de que suas células estão sofrendo!

Uma das maneiras mais eficientes de apaziguar a mente, a propósito, é a meditação. Apesar de ser uma técnica milenar e

SERÁ COM ESSA
ATITUDE QUE VOCÊ,
FINALMENTE, VAI
SE LIBERTAR DOS
PARADIGMAS
ALIMENTARES E
TER UMA RELAÇÃO
MELHOR COM
A COMIDA.

comprovadamente eficaz no controle do estresse,[22] ainda é tida como terapia alternativa (no mau sentido) por muitos profissionais de saúde. Até quando? Se você não curte a ideia de parar por alguns minutos, tudo bem. De acordo com o psicólogo norte-americano Martin Seligman, um dos pioneiros da psicologia positiva, existem mais de 120 técnicas antiestresse validadas cientificamente.[23] Com certeza, você vai se identificar com alguma. Destaco a técnica *Mindfulness*, popularizada pelo professor da Universidade Massachusetts (Estados Unidos) Jon Kabat-Zinn.[24] E aqui também vão outras dicas para um cérebro mais feliz e longevo: busque seu propósito de vida (*ikigai*); crie um círculo virtuoso, realizando atividades que proporcionem bem-estar físico e espiritual; não se culpe tanto; faça atividades prazerosas para gerar dopamina, substância cerebral responsável pela sensação de bem-estar. Seus efeitos também melhoram a memória, a aprendizagem, a organização do tempo e a tomada de decisões. O livro *A era da integridade*[25], do Luiz Fernando Lucas aborda todas estas questões de maneira simples e didática.

Hiperconexão digital, álcool e açúcar também aumentam a dopamina cerebral, mas em contrapartida elevam a inflamação e reduzem os telômeros e, portanto, não valem o custo-benefício; por fim, concentre sua energia em fatos que (realmente) merecem sua atenção e viva o momento presente. Para isso, experimente contar sua respiração todos os dias por pelo menos três minutos (**Figura 18**). Ah, e não se esqueça de desligar o celular durante as refeições e na hora de dormir.

Para colocar tudo isso em prática, desenvolvi o Programa MAP de Combate à Inflamação (**Figura 19**), que consiste em sete semanas de aumento gradual de cada uma das letrinhas desta sigla criadora de saúde.

CAPÍTULO 10: A reinvenção da Medicina   183

E quais são as próximas tendências de saúde? Não posso afirmar com certeza. Arrisco dizer, porém, que a Medicina de Precisão deve subir alguns lugares na lista da ISPOR, ao passo que a *real-world medicine* não sairá de lá tão cedo. Da mesma forma, as tecnologias digitais tendem a conquistar cada vez mais adeptos. Uma coisa, porém, é certa: a relação médico-paciente nunca mais será a mesma. É como um casal em crise. Saiba, no entanto, que a palavra crise vem do grego e quer dizer *mudança*. E para essa mudança se concretizar serão necessárias concessões das duas partes, afinal, entrar em acordo pressupõe abrir mão de algo: o médico terá de aprender a ouvir mais, e o paciente, a tomar a iniciativa. Com grandes chances de viverem felizes para sempre.

FIGURA 16. Os macacos são gêmeos, mas o B comeu menos sugerindo que a restrição alimentar retarda o envelhecimento.[26]

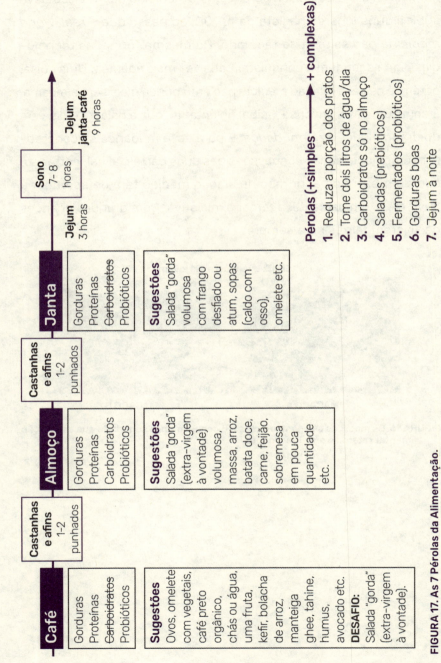

FIGURA 17. As 7 Pérolas da Alimentação.

CONCENTRE SUA
ENERGIA EM FATOS
QUE (REALMENTE)
MERECEM SUA
ATENÇÃO E VIVA
O MOMENTO
PRESENTE.

RESPIRAÇÃO 5-5

1 Coloque sua mão na barriga e permita que seu abdômen relaxe.

2 Feche os olhos.

3 Inale e expire pelo nariz.

4 Inspire profundamente com seu abdômen e sinta expandir conforme você conta por 5 segundos; é importante focar a respiração no abdômen, deixe o tórax o mais quieto possível

5 Expire lentamente em uma contagem de 5 segundos, permitindo que seu corpo relaxe e libere tensão.

6 Repita essa sequência continuamente por 3 minutos (aos iniciantes, começar com 1 minuto).

FIGURA 18. Exercício de respiração.

 Confira o tutorial de meditação no meu canal. Basta apontar a câmera do seu celular para o QR Code ao lado.

 Confira a playlist LifeLab Relax no Spotify. Basta apontar a câmera do seu celular para o QR Code ao lado.

CAPÍTULO 10: A reinvenção da Medicina

Movimento	Alimento	Pensamento

Materiais básicos:

Tapete (prancha), esteira (opcional), pedômetro no relógio ou celular	Vegetais frescos, pote com tampa vedável, água filtrada, ovos, azeite extra-virgem, oleaginosas, contato de tele-orgânicos, 2 garrafas de vidro	Tapete, playlist "LifeLab Relax" no Spotify, despertador digital ou analógico

Semana 1

M 4 mil passos	A Pérolas 1/7	P Respiração 1 min.

Semana 2

M 5 mil passos	A Pérolas 2/7	P Respiração 2 min.

Semana 3

M 6 mil passos	A Pérolas 3/7	P Respiração 3 min.

Semana 4

M 7 mil passos	A Pérolas 4/7	P Respiração 4 min.

Semana 5

M 8 mil passos	A Pérolas 5/7	P Respiração 5 min.

Semana 6

M 9 mil passos	A Pérolas 6/7	P Respiração 6 min.

Semana 7

M 10 mil passos	A Pérolas 7/7	P Respiração 7 min., 2 vezes ao dia

FIGURA 19. Programa MAP de combate à inflamação.

O AMANHÃ É AGORA

A Quarta Revolução Industrial – ou Indústria 4.0 – é uma realidade, quer você aceite ou não. Tecnologias disruptivas, isto é, produtos ou serviços mais simples, baratos e de maior alcance, estão transformando todos os setores da sociedade. A Medicina, que sempre se valeu de aparatos tecnológicos para salvar vidas ao longo da história da humanidade, logicamente não vai ficar de fora. Até agora, já temos uma ideia do que tamanha revolução significa: a Inteligência Artificial (IA) está influenciando, a uma velocidade exponencial, nosso trabalho, nossos relacionamentos e, é claro, nossa saúde. Ademais, a indústria farmacêutica, antes dita imbatível e altamente rentável, está perdendo espaço por conta da exigência cada vez maior, por parte de médicos e pacientes, de desfechos mais assertivos. Afinal, ninguém mais quer "vender a própria casa" para financiar um tratamento que aumenta a sobrevida do paciente muitas vezes em estado vegetativo e por apenas algumas semanas. Escândalos de corrupção e manipulação de resultados de pesquisas também estão por trás do descrédito que a chamada *Big Pharma* angariou para si,[1] como você viu ao longo deste livro.

Nesse novo contexto, a Medicina dos 5 Ps (Preditiva, Preventiva, Proativa, Personalizada e Parceira) vem ao encontro de pacientes e profissionais da saúde como alternativa para facilitar essa transição. Em primeiro lugar ela é *Preditiva*, porque ajuda na descoberta de doenças antes mesmo que elas apareçam. Sendo a decodificação do genoma – DNA presente no núcleo das células – o maior exemplo disso. O que nos leva ao próximo P, de *Preventiva*. Ao trazer à luz possíveis doenças em potencial, tanto o sequenciamento genético quanto os demais Omics podem aumentar o engajamento e o planejamento dos pacientes em atitudes preventivas. O caso da atriz de Hollywood Angelina Jolie, que retirou as mamas e os ovários cirurgicamente após descobrir que apresentava mutações nos genes associados a esses tipos de câncer, sem ter nenhum sinal da doença, tornou-se emblemático no que diz respeito à predição e à prevenção e influenciou milhares de mulheres no mundo inteiro.

Outros problemas menos graves, porém igualmente fatais, como diabetes e hipertensão, também serão evitados ou ao menos vão tardar a aparecer à medida que os pacientes aprenderem mais sobre a relação genes × ambiente (epigenética). Uma reportagem recente da revista de economia e tendências *The Economist*,[2] não por acaso, sugere que em 2020 se inicia a década dos *yolds*. O termo vem de *young old* (*jovem velho*, em português) e é usado para definir aqueles que têm entre 65 e 75 anos. Além de mais numerosos, eles estão mais saudáveis e mais prósperos do que seus antecessores, segundo a publicação. Um dos motivos provavelmente se deve ao advento da Medicina Proativa em oposição à Medicina Reativa, esta última ainda vigente. Ser proativo é ser protagonista da própria saúde, em vez de apenas esperar a doença "atacar" para, então, reagir. Aliado aos vestíveis, implantáveis e aplicativos, o "Paciente 4.0" tem a possibilidade de se tornar, na maior parte do tempo, o próprio médico, enquanto está fora das quatro paredes do consultório.

E, com os dados produzidos por novos exames e aparatos tecnológicos, chegamos à Medicina Personalizada. Que sempre existiu, é verdade, mas nos últimos anos recebeu um upgrade promissor. Ao se levar em conta a individualidade de cada paciente, considerando não apenas os estudos populacionais de resultados médios, como também a Medicina baseada em dados do mundo real (*real-world medicine*), estamos vendo o surgimento de tratamentos cada vez mais precisos e, portanto, mais assertivos. Por último, mas não menos importante, vem a Medicina Parceira. A relação médico-paciente nunca mais será a mesma, uma vez que o primeiro deixou a posição de autoridade inquestionável (um baita alívio, vamos combinar) para conversar de igual para igual. O que de forma nenhuma diminui seu papel, pois é ele quem vai ajudar o segundo a interpretar corretamente os dados. Uma parceria em que todos saem ganhando. E, como você deve ter reparado, a tecnologia permeia todos os 5 Ps. Tornou-se uma ferramenta poderosa na criação da saúde, hoje mais do que nunca, a apenas um click ou download de distância.

O FIM DOS HOSPITAIS

Achou estranho? Fique tranquilo. Não é na extinção total deles que aposto, e sim na transição para algo diferente do modelo "hospitalocêntrico" que conhecemos atualmente. A necessidade de hospitais no futuro será reduzida e restrita aos cuidados dos pacientes com problemas agudos que necessitam de cuidados intensivos e monitoramento. Ou seja, é bem provável que apenas Ambulatórios, Centros de Tratamento Intensivo e Prontos-Socorros terão instalações físicas. E existem várias razões para isso. Relembro aqui a de maior impacto: a cada hora, seis pacientes morrem devido a algum tipo de erro médico, falhas assistenciais ou processuais ou infecções nos hospitais brasileiros.[3] Um total de 148 vidas perdidas por dia e 54.076 por ano (ou um estádio do Maracanã lotado!). Já nos Estados Unidos, "adventos adversos hospitalares" são a terceira causa de morte no país, perdendo apenas para doenças cardiovasculares e câncer. Embora a maioria dos familiares acredite que o doente esteja mais seguro dentro de um hospital, os números mostram o contrário.

Em 1946, depois de ser internado em um hospital parisiense, o escritor inglês George Orwell descreveu o local como "antecâmara do túmulo".[4] Ainda que a colocação não esteja tão longe da realidade atual, muita coisa mudou, eu sei. As instituições de saúde daqui de nada lembram o local fétido relatado pelo autor, que, por uma infeliz coincidência, morreria de tuberculose em um hospital inglês anos depois. Hoje podemos contar com recursos tecnológicos que nem mesmo o autor do clássico futurista *1984* poderia imaginar. As maiores causas de hospitalização no mundo, como insuficiência cardíaca congestiva, asma e doença pulmonar obstrutiva crônica, por exemplo, são facilmente detectadas e tratadas por meio de estratégias médicas digitais que prescindem das atuais instalações faraônicas de muitos hospitais brasileiros – cujas diárias podem custar de 2 a 5 mil reais atualmente. Em resumo: pense muito bem antes de adoecer. A não ser que tenha um excelente plano de saúde ou muito dinheiro sobrando.

Um episódio recente que aconteceu com o publicitário Jorge Freire, criador do blog *Nerd Pai*, ilustra bem isso.[5] Em janeiro de

PENSE MUITO BEM
ANTES ADOECER.
A NÃO SER
QUE TENHA UM
EXCELENTE PLANO
DE SAÚDE OU
MUITO DINHEIRO
SOBRANDO.

2020, os excessos de fim de ano, somados à má aderência ao seu tratamento contra hipertensão, alteraram o ritmo de seus batimentos cardíacos, prontamente detectados pelo seu relógio Apple Watch®. O alerta do aparelho motivou sua ida rápida a um pronto-socorro. "Não estava sentindo nada e poderia ter ficado com essa taquicardia por horas. E o resultado disso, bem, você já sabe...", relatou o blogueiro no Facebook. A publicação fez tanto sucesso que chegou aos ouvidos do executivo-chefe da Apple, Tim Cook. Para a surpresa de Freire, Cook enviou-lhe um e-mail de agradecimento por compartilhar sua experiência. "Isso nos inspira a continuar avançando", escreveu o executivo.

Em um futuro próximo, minha expectativa é de que casos como o de Freire se tornem a regra, e não a exceção, no que diz respeito à hospitalização. A redução do tempo de internação, iniciativa que ficou conhecida como desospitalização, já é algo discutido há tempos – faz parte do Sistema Único de Saúde desde 2011.[6] Tanto pelos riscos, quanto pelo alto custo da diária de um leito (para a rede pública e privada), acabou por gerar outro nicho, o da Atenção Domiciliar (às vezes chamado pelo termo em inglês, *home care*). O objetivo é retirar o paciente do hospital quanto antes, e continuar o tratamento em casa. Ou seja, uma movimentação de "dentro para fora". O que proponho vai além, a fim de gerar uma mudança "fora para dentro". Ou seja, o paciente não precisa nem entrar na "antecâmara". Idealmente, portanto, ele só seria hospitalizado em situações específicas (por exemplo, se necessitar de cuidados intensivos). Esse jogo de palavras, aparentemente simples, implica alterações profundas no *mindset* de médicos e pacientes e, de modo fundamental, na racionalização de recursos em saúde.

DESCOMPLICANDO A MEDICINA

No decorrer deste livro, refleti sobre o impacto de todas essas inovações na vida de médicos e pacientes. As inúmeras histórias e pesquisas que apresentei aqui, certamente, devem tê-lo convencido de que se trata de um caminho sem volta. No entanto, isso não significa que não teremos escolha. Pelo contrário, creio que com tanta informação e ferramentas disruptivas à disposição, poderemos fazer melhores escolhas. Já imaginou a diferença que o monitoramento de sua glicose em tempo real pode fazer em seus hábitos alimentares? Ou como as relações entre pais e filhos podem melhorar, uma vez que predisposições a condições como autismo[7] e depressão[8] sejam detectadas antes mesmo que o bebê nasça? Ou quanto vai se tornar mais fácil combater doenças como a obesidade e o câncer quando procedimentos que melhoram a microbiota intestinal se tornarem rotina?

Talvez pareça exagero para você à primeira vista. Saiba, no entanto, que não sou o único a vislumbrar o paradoxo de uma Medicina cada vez mais robotizada e, ao mesmo tempo, humana. O engenheiro Cláudio Terra, ex-diretor de Inovação e Transformação Digital da Sociedade Beneficente Israelita Brasileira Albert Einstein, compartilha da mesma expectativa:

> A tecnologia trará mais transparência e, por consequência, efetividade aos processos. Além de baratear os serviços, ela vai ampliar o acesso, favorecer a comunicação entre médicos e pacientes e permitir um melhor monitoramento, seja no hospital ou na casa das pessoas. Esses avanços não são exatamente novidade, pois sabemos o quanto as inovações tecnológicas impactaram e continuam impactando a longevidade e a qualidade

de vida das pessoas ao longo da história da humanidade. No entanto, o que muda atualmente é a escala e velocidade com as quais o avanço tecnológico está ocorrendo e o impacto disso na prática médica. Alguns profissionais podem resistir, enquanto outros podem aderir às mudanças com mais rapidez, até que a transição será concluída com o tempo. Isso ocorre naturalmente em outros setores da sociedade, e não poderia ser diferente na Medicina. Veja o telefone celular, por exemplo. No começo era caro e alguns se apresentaram céticos. Hoje, não imaginamos nossa vida sem ele.[9]

PANDEMIA DE COVID-19: A MEDICINA DO AMANHÃ MOSTRA A QUE VEIO

Durante a conclusão da edição deste livro, nos meses de março e abril de 2020, eclodiu a pandemia do novo coronavírus (cujo nome científico é Covid-19) no Brasil e no mundo. A Terra literalmente parou: serviços, comércios, competições esportivas, escolas, universidade e até as novelas da rede Globo. Toda a população mundial foi conclamada à quarentena domiciliar para conter a disseminação do vírus, deixando as ruas mais movimentadas do mundo desertas. Em meio ao caos, a Medicina dos 5 Ps mostrou sua força para o mundo e abriu possibilidades jamais vistas. Novos e rápidos métodos diagnósticos e formas de tratar pacientes foram desenvolvidos, assim como a definitiva consagração da telemedicina. A genética foi capaz de identificar pessoas vulneráveis ao vírus, enquanto o *Big Data* gerado diariamente, associado aos algoritmos de inteligência artificial, foi capaz de prever os movimentos do vírus (Medicina Preditiva), gerando medidas assertivas de contenção (Medicina Preventiva). Foram também criados

SAIBA, NO
ENTANTO, QUE
NÃO SOU O ÚNICO
A VISLUMBRAR O
PARADOXO DE UMA
MEDICINA CADA VEZ
MAIS ROBOTIZADA
E, AO MESMO
TEMPO, HUMANA.

programos de prevenção focados nos mais vulneráveis, como idosos e portadores de doenças crônicas (Medicina Personalizada).

Durante a pandemia, a "Medicina baseada em dados do mundo real" ganhou espaço, no lugar da "Medicina baseada em evidências", uma vez que não havia tempo para realizar longos estudos clínicos. Dessa forma, foi possível medir o efeito de ações médicas sem depender da burocracia da ciência tradicional. Não há tempo a perder, afinal. Os sistemas de saúde foram obrigados a se antecipar, criando hospitais de campanha, entre outras medidas, pois não seria sensato aguardar passivamente a disseminação do vírus (Medicina Proativa) para só depois tomar alguma atitude. Por fim, o período também exaltou a figura e a necessidade do médico, assim como despertou um sentimento de irmandade jamais visto, que chamei de "pandemia da empatia". Munidos pela tecnologia da informação, comunidades científicas e governos se conectaram para compartilhar experiências em tempo real, amenizando os efeitos devastadores da Covid-19 na saúde e na economia. Um claro e belo exemplo da Medicina Parceira, meu "P" preferido.

MEDICINA DO AMANHÃ: SONHO OU REALIDADE?

É com alegria que testemunho as transformações e os desafios que acompanham a profissão que escolhi quando ainda era um adolescente de 15 anos, enquanto ainda jogava futebol de botão com meus vizinhos. Na época, todos riram da minha decisão de tentar o vestibular para Medicina, pois achavam que eu não tinha disciplina suficiente. Mais tarde me disseram que neurologia era muito difícil e que interpretar um exoma era uma insanidade. No entanto, todos esses conselhos me impulsionaram, pois amo desafios. *E quais são os próximos que vêm por aí, então?*, você deve estar se perguntando. As possibilidades são infindáveis. Gosto de pensar como o historiador israelense Yuval Noah Harari, no livro *Sapiens: uma breve história da humanidade:*

> O futuro é desconhecido, e seria surpreendente se todas as previsões das últimas páginas se concretizassem. A história nos ensina que o que parece estar depois da esquina pode jamais se materializar devido a barreiras imprevistas e que outros cenários não imaginados acontecerão de fato. (...) Quando a Sputnik e a Apollo 11 atiçaram a imaginação do mundo, todos começaram a prever que no fim do século as pessoas estariam vivendo em colônias espaciais em Marte e Plutão. Poucas delas se tornaram realidade. Por outro lado, ninguém previu a internet.[10]

E na saúde também é assim. Se não temos como prever o futuro com acurácia, só nos resta sonhar. Como disse certa vez o escritor norte-americano Isaac Asimov, autor de *Eu, robô* e *O homem bicentenário*: "a ficção científica de hoje é o fato científico do amanhã".[11] Pois para mim, o amanhã é agora.

NOTAS

INTRODUÇÃO: Você, protagonista da sua saúde

1   OPAS/OMS. *Indicadores de saúde*: elementos conceituais e práticos (capítulo 1). Disponível em: https://www.paho.org/hq/index.php?option=com_content&view=article&id=14401:health-indicators-conceptual-and-operational-considerations-section-1&Itemid=0&limitstart=1&lang=pt. Acesso em: 14 out. 2020.

2   ROSER, Max. Link between health spending and life expectancy: the US is na outlier. *Our World in Data*, may 26, 2017. Disponível em: https://ourworldindata.org/the-link-between-life-expectancy-and-health-spending-us-focus. Acesso em: 14 out. 2020.

3   OLIVEIRA, Nielmar de. Expectativa de vida do brasileiro é de 75,8 anos, diz IBGE. *Agência Brasil*, Rio de Janeiro, 1º dez. 2017. Disponível em: http://agenciabrasil.ebc.com.br/pesquisa-e-inovacao/noticia/2017-12/expectativa-de-vida-do-brasileiro-e-de-758-anos-diz-ibge. Acesso em: 14 out. 2020.

4   RIEDEL. Stefan. Edward Jenner and the history of smallpox and vaccination. *Proc. (Bayl. Univ. Med. Cent.)*, Dallas, Texas, v. 18, n. 1, jan. 2005. Disponível em: https://www.ncbi.nlm.nih.gov/pmc/articles/PMC1200696/. Acesso em: 14 out. 2020.

5 A DESCOBERTA DO DNA e o projeto genoma. *Rev. Assoc. Med. Bras.*, São Paulo, v. 51, n. 1, jan./fev. 2005. (Editorial). Disponível em: http://www.scielo.br/scielo.php?script=sci_arttext&pid=S0104-42302005000100001. Acesso em: 14 out. 2020.

6 OLSHANSKY, S. Jay *et al.* A potential decline in life expectancy in the United States in the 21st century. *N. Engl. J. Med.*, v. 352, p. 1138-1145, 2005. Disponível em: https://www.nejm.org/doi/full/10.1056/NEJMsr043743. Acesso em: 14 out. 2020.

7 OBESIDADE cresce 60% em dez anos no Brasil. *Setor saúde*. Disponível em: http://www.brasil.gov.br/noticias/saude/2017/04/obesidade-cresce-60-em-dez-anos-no-brasil. Acesso em: 14 out. 2020.

8 JURAMENTO de Hipócrates. São Paulo: Cremesp, [s.d.]. Disponível em: https://www.cremesp.org.br/?siteAcao=Historia&esc=3. Acesso em: 14 out. 2020.

9 CHAZELAS, Eloi *et al.* Sugary drink consumption and risk of cancer: results from NutriNet-Santé prospective cohort. *BMJ*, v. 366, p. 12408, jul. 2019. Disponível em: https://www.bmj.com/content/366/bmj.l2408. Acesso em: 14 out. 2020.

10 ONU. Doenças crônicas são responsáveis por 63% de todas as mortes no mundo, diz OPAS. *Dourados Agora*. Disponível em: https://www.douradosagora.com.br/noticias/ciencia-saude/doencas-cronicas-sao-responsaveis-por-63-de-todas-as-mortes-no-mundo. Acesso em: 14 out. 2020.

CAPÍTULO 1: Caos na saúde em plena Quarta Revolução Industrial

1 SCHWAB, Klaus. *A quarta revolução industrial*. São Paulo: Edipro, 2019.

2 IQVIA Institute for Human Data Science Study: global medicine spending exceeds $1.5 trillion by 2023-as spending growth steadies. [*S. l.*]: IQVIA, Jan. 29, 2019. Disponível em: https://www.iqvia.com/newsroom/2019/01/iqvia-institute-for-human-data-science-study-global-medicinespending-exceeds-15-trillion-by-2023-as. Acesso em: 14 out. 2020.

3 GODOY, Denise. Balanço da Raia Drogasil mostra que Brasil pode ter farmácias demais. *Exame*. Disponível em: https://exame.com/negocios/balanco-da-raia-drogasil-mostra-que-brasil-pode-ter-farmacias-demais-2/. Acesso em: out. 2020.

4 LÓPEZ, Ángeles Gómez. O cérebro queima em um dia as mesmas calorias que correr meia hora. Então, pensar muito emagrece? *El País*, 27 nov. 2018. Disponível em: https://brasil.elpais.com/brasil/2018/11/23/ciencia/1542992049_375998.html. Acesso em: 14 out. 2020.

5 ANVISA. Anuário Estatístico do Mercado de Medicamentos. Disponível em: https://www.gov.br/anvisa/pt-br/assuntos/noticias-anvisa/2018/faturamento-do-setor-farmaceutico-cresceu-94-em-2017. Acesso em: out. 2020.

6 ANGELL, M. *A verdade sobre os laboratórios farmacêuticos:* como somos enganados e o que podemos fazer a respeito. Rio de Janeiro: Record, 2007.

7 MENAI, Tania. Marcia Angell e os bastidores da indústria farmacêutica. *Superinteressante*, São Paulo, 30 jun. 2006. Disponível em: https://super.abril.com.br/saude/doutores-sabem-de-nada/. Acesso em: 14 out. 2020.

8 FICKWEILER, Freek; FICKWEILER, Ward; URBACH, Ewout. Interactions between physicians and the pharmaceutical industry generally and sales representatives specifically and their association with physicians' attitudes and prescribing habits: a systematic review. *BMJ Open*, v. 7, n. 9, 2017. e016408. DOI: 10.1136/bmjopen-2017-016408.

9 OMS. Improving the transparency of markets for medicines, vaccines, and other health products. Seventy-second World Health Assembly. 28 maio, 2019. Disponível em: <https://apps.who.int/gb/ebwha/pdf_files/WHA72/A72_R8-en.pdf>. Último acesso em: 11 jul. 2019.

10 BUSCATO, Marcela. Desenvolver novas drogas não é tão caro quanto a indústria gostaria que você acreditasse. *Época*, 13 set. 2017. Disponível em: https://epoca.globo.com/saude/check-up/noticia/2017/09/

desenvolver-novas-drogas-nao-e-tao-caro-quanto-industria-gostaria-que-voce-acreditasse.html. Acesso em: 14 out. 2020.

11 FOGAÇA, Jôse; PEREZ, Clotilde. Felicidade adjetivada: polifonia conceitual, imperativo social. *Intercom, Rev. Bras. Ciênc. Comun.*, São Paulo, v. 37, n. 1, p. 217-241, junho 2014. Disponível em: http://www.scielo.br/scielo.php?script=sci_arttext&pid=S1809-58442014000100011&lng=en&nrm=iso. Acesso em: 14 out. 2020.

12 OLIVEIRA, Monique; GOMES, Luciani. A praga das consultas a jato. *Istoé*, 9 dez. 2011. Disponível em: https://istoe.com.br/182300_A+PRAGA+DAS+CONSULTAS+A+JATO/. Acesso em: 14 out. 2020.

13 LAKE, Timothy K. *et al.* Paying more wisely: effects of payment reforms on evidence-based clinical decision-making. *J. Comp. Eff. Res.*, v. 2, n. 3, p. 249-259, maio 2013. DOI: 10.2217/cer.13.27.

14 ANDREYEVA, Elena & UKERT, Benjamin., The impact of the minimum wage on health. *International Journal of Health Economics and Management*, v. 18, n. 4, p. 337-375, Springer, dez. 2018. Disponível em: https://ideas.repec.org/a/kap/ijhcfe/v18y2018i4d10.1007_s10754-018-9237-0.html. Acesso em: 14 out. 2020.

15 OBOLER, Sylvia K. *et al.* Public expectations and attitudes for annual physical examinations and testing. *Ann. Intern. Med.*, v. 136, p. 652659, maio 2002. Disponível em: https://annals.org/aim/article-abstract/715258/public-expectations-attitudes-annual-physical-examinations-testing?doi=10.7326%2f0003-4819-136-9-200205070-00007. Acesso em: 14 out. 2020.

16 SANTOS, Luma dos. O contato pele a pele com os bebês ajuda a aliviar dores e desconfortos. *Crescer*, 19 maio 2019. Disponível em: https://revistacrescer.globo.com/Bebes/Saude/noticia/2019/05/o-contato-pele-pele-com-os-bebes-ajuda-aliviar-dores-e-desconfortos.html. Acesso em: 14 out. de 2020.

17 ALVIM, Mariana. Com 3 ações de erro médico por hora, Brasil vê crescer polêmico mercado de seguros. *BBC News Brasil*, 19 set. 2018. Disponível em: https://www.bbc.com/portuguese/brasil-45492337. Acesso em: 14 out. 2020.

NOTAS 205

18   TALEB, Nassim Nicholas. *A lógica do cisne negro*: o impacto do altamente improvável. Rio de Janeiro: Best Seller, 2015. *E-book*.

19   USO de medicamentos é a principal causa de intoxicação, aponta Unicamp. *Jornal da EPTV*, G1, 5 dez. 2017. Disponível em: https://g1.globo.com/sp/campinas-regiao/noticia/uso-de-medicamentos-e-a-principal-causa-de-intoxicacao-aponta-unicamp.ghtml. Acesso em: 14 out. 2020.

20   LIMA, Bruna. 85% dos moradores do Distrito Federal usam medicamentos sem prescrição médica. *Correio Braziliense*, 19 maio 2019. Disponível em: https://www.correiobraziliense.com.br/app/noticia/cidades/2019/05/19/interna_cidadesdf,755783/85-dos-moradores-do-df-usam-medicamentos-sem-prescricao.shtml. Acesso em: 14 out. 2020.

21   OPAS/OMS. *Doenças cardiovasculares*. OPAS/OMS, [s.d.]. Disponível em: https://www.paho.org/bra/index.php?option=com_content&view=article&id=5253:doencas-cardiovasculares&Itemid=1096. Acesso em: 14 out. 2020.

22   INCIDÊNCIA de câncer no Brasil pode aumentar em 78% nos próximos 20 anos. *GZH Saúde*, 12 set. 2018. Disponível em: https://gauchazh.clicrbs.com.br/saude/noticia/2018/09/incidencia-de-cancer-no-brasil-pode-aumentar-em-78-nos-proximos-20-anos-cjlzhlxif02p401mntzn1iawu.html. Acesso em: 14 out. 2020.

23   A PRIMEIRA condenação de um chefão da indústria farmacêutica acusado de estimular "epidemia de opioides" nos EUA. *BBC News/UOL Notícias*, 3 maio 2019. Disponível em: .https://noticias.uol.com.br/saude/ultimas-noticias/bbc/2019/05/03/a-primeira-condenacao-de-um-chefao-da-industria-farmaceutica-acusado-de-estimular-epidemia-de-opioides-nos-eua.htm. Acesso em: 14 out. 2020.

CAPÍTULO 2: Ter saúde não significa estar livre de doenças

1   PUBMED. Resultados da pesquisa sobre benefícios da ioga. Disponível em: https://www.ncbi.nlm.nih.gov/pubmed/?term=yoga+benefits. Acesso em: fev. de 2020.

2 WORLD HEALTH ORGANIZATION. *Blindness and vision impairment*. WHO, 8 out., 2020. Disponível em: https://www.who.int/news-room/fact-sheets/detail/blindness-and-visual-impairment. Acesso em: out. 2019.

3 EPEL, Elissa; BLACKBURN, Elizabeth. *O segredo está nos telômeros*: receita revolucionária para manter a juventude, viver mais e melhor. São Paulo: Planeta,2017. *E-book*.

4 Ibidem.

5 HAMILTON, Jada G.; LOBEL, Marci; MOYER, Anne. Emotional distress following genetic testing for hereditary breast and ovarian cancer: a meta-analytic review. *Health Psychology*, v. 28, n. 4, p. 510-518. 2009. DOI 10.1037/a0014778.

6 BLACKBURN, Elizabeth. *The science of cells that never get old*. 2017. Disponível em: https://www.ted.com/talks/elizabeth_blackburn_the_science_of_cells_that_never_get_old. Acesso em: 14 out. 2020.

7 SCHESTATSKY, P. & NASCIMENTO O. J. What do general neurologists need to know about neuropathipain? *Arq. Neuropsiquiatr.*, v. 67, n. 3A, p. 741-749, set. 2009.

8 FERTLEMAN, C. R. *et al.* SCN9A mutations in paroxysmal extreme pain disorder: allelic variants underlie distinct channel defects and phenotypes. *Neuron*, v. 52, n. 5, p. 767-74, dez. 2006.

9 CLEMENTE, J. C.; MANASSON, J.; SCHER, J. U. The role of the gut microbiome in systemic inflammatory disease. *BMJ*, v. 360, p. j5145, jan. 2018.

CAPÍTULO 3: Hipócrates e a origem do paternalismo médico

1 MEDICINA na USP tem disputa de 129 candidatos por vaga; veja relação. *O Estado de S.Paulo*, 14 nov. 2019. Disponível em: https://educacao.estadao.com.br/noticias/geral,medicina-na-usp-tem-disputa-de-129-candidatos-por-vaga-veja-relacao,70003089902. Acesso em: 14 out. 2020.

2 PATERNALISMO. *In:* MICHAELIS. São Paulo: Melhoramentos, 2015. Disponível em: https://michaelis.uol.com.br/moderno-portugues/busca/portugues-brasileiro/paternalismo/. Acesso em: 14 out. 2020.

NOTAS 207

3   HIPÓCRATES. *UOL Educação*, 21 out. 2009. (Biografias). Disponível em: https://educacao.uol.com.br/biografias/hipocrates.htm. Acesso em: 14 out. 2020.

4   TOPOL, E. J.. *The Patient Will See You Now*. Nova York: Basic Books, 2015. *E-book*.

5   FROSCH, D. L. *et al*. Authoritarian physicians and patients' fears of being labeled 'difficult' among key obstacles to shared decision making. *Health Affairs*, v. 31, n. 5, p. 1030-1038, maio 2012.

6   SNOW, R.; HUMPHREY, C.; SANDALL, J. What happens when patients know more than their doctors? Experiences of health interactions after diabetes patient education: a qualitative patient-led study. *BMJ Open*, v. 3, p. e003583, 2013. DOI 10.1136/bmjopen-2013-003583.

7   DÉA, Ágatha. Prontuário é um direito do paciente. *Gazeta do Povo*, 13 maio 2014. Disponível em: https://www.gazetadopovo.com.br/vida-e-cidadania/vida-pratica/prontuario-e-um-direito-do-paciente-1usso9osky057lra4gumhwpqm/. Acesso em: 14 out. 2020.

8   CONSELHO FEDERAL DE MEDICINA. Código de ética médica: resolução CFM nº 1.931, de 17 de setembro de 2009. Brasília: Conselho Federal de Medicina, 2010. Disponível em: https://portal.cfm.org.br/images/stories/biblioteca/codigo%20de%20etica%20medica.pdf. Acesso em: 14 out. 2020.

9   ARTIGO 72 da Lei nº 8.078 de 11 de setembro de 1990. *Jusbrasil*. Disponível em: https://www.jusbrasil.com.br/topicos/10597381/artigo-72-da-lei-n-8078-de-11-de-setembro-de-1990. Acesso em: 14 out. 2020.

10 DÉA, Ágatha. Prontuário é um direito do paciente. *Gazeta do Povo*, 13 maio 2014. Disponível em: https://www.gazetadopovo.com.br/vida-e-cidadania/vida-pratica/prontuario-e-um-direito-do-paciente-1usso9osky057lra4gumhwpqm/. Acesso em: 14 out. 2020.

11 EINASTE, Taavi. *Blockchain and healthcare*: the Estonian experience. *e-estonia*, Feb. 2018. Disponível em: https://e-estonia.com/blockchain-healthcare-estonian-experience/. Acesso em: abril de 2020.

12 LABREA, Vanessa. Entrevista concedida a Malu Echeverria.

13 *Ibidem*.

14 TOPOL, E. J.. *The patient will see you now*. Nova York: Basic Books, 2015. *E-book*.

15 GIARDINA, Davis T. & SINGH, H. Should patients get direct access to their laboratory test results? An answer with many questions. *JAMA*, v. 306, n. 22, p. 2502-2503, Dec. 14, 2011. DOI 10.1001/jama.2011.1797. Epub 2011 nov. 28.

16 ALIMENTANDO a inovação que tanto apreciamos e da qual dependemos. Disponível em: https://www.intel.com.br/content/www/br/pt/silicon-innovations/moores-law-technology.html. Acesso em: 14 out. 2020.

17 MORRIS, Z. S.; WOODING S.; GRANT, J. The answer is 17 years, what is the question: understanding time lags in translational research. *J. R. Soc. Med.*, v. 104, n. 12, p. 510-520. 2011. DOI 10.1258/jrsm.2011.110180.

18 ALECRIM, Emerson. O pai que criou um "pâncreas artificial" para o filho com diabetes. *Tecnoblog*, maio 2016. Disponível em: https://tecnoblog.net/195469/pancreas-artificial-diabetes-insulina/. Acesso em: 14 out. 2020.

19 TAKAHASHI, R. *et al.* Efficacy of diflunisal on autonomic dysfunction of late-onset familial amyloid polyneuropathy (TTR Val30Met) in a Japanese endemic area. *J. Neurol. Sci.*, v. 345, n. 1-2, p. 231-235, out. 2014.

20 FRELLICK, Marcia. Burnout rises above 50% in some specialties, new survey shows. *Medscape*, jan. 2019. Disponível em: https://www.medscape.com/viewarticle/907834. Acesso em: 14 out. 2020.

21 PLANCK, Max. *Pensador*. Disponível em: https://www.pensador.com/frase/MjQxNjAwMQ/. Acesso em: out. 2020.

CAPÍTULO 4: Medicina do amanhã: uma revolução para o paciente

1 SANTI, Alexandre de. O evangelho ateu de Nietzsche. *Superinteressante*, 11 dez. 2015. Disponível em: https://super.abril.com.br/cultura/o-evangelho-ateu/. Acesso em: 14 out. 2020.

NOTAS 209

2 ZIMERMAN, Ariel L. Evidence-based medicine: a short history of a modern medical movement. *Virtual Mentor,* v. 15, n.1, p. 71-76, jan. 2013. DOI 10.1001/virtualmentor. 2013.15.1.mhst1-1301.

3 SCHORK, N. Personalized medicine: time for one-person trials. *Nature*, v. 520, p. 609-611, 2015. DOI 10.1038/520609a.

4 TOPOL, E. J.. *The creative destruction of medicine*: how the digital revolution will create better health care. Nova York: Basic Books, 2011. *E-book*.

5 GREENHALGH, Trisha; HOWICK, Jeremy; MASKREY, Neal. Evidence based medicine: a movement in crisis? *BMJ*, v. 348, p. g3725, 2014.

6 ECHEVERRIA, Malu. Saiba por que se adaptar é uma característica importante. *UOL VivaBem*, 27 ago. 2019. Disponível em: https://www.uol.com.br/vivabem/noticias/redacao/2019/08/27/voce-e-capaz-de-se-adaptar-veja-por-que-essa-caracteristica-e-importante.htm. Acesso em: 14 out. 2020.

7 LAKE, T. K. *et al.* Paying more wisely: effects of payment reforms on evidence-based clinical decision-making. *J. Comp. Eff. Res.*, v. 2, n. 3, p. 249-259, maio 2013.

8 VIALLI, Andrea. Operadoras de planos de saúde estudam novos modelos de remuneração. *Folha de S.Paulo*, 8 dez. 2018. Disponível em: https://www1.folha.uol.com.br/seminariosfolha/2018/12/operadoras-de-planos-de-saude-estudam-novos-modelos-de-remuneracao.shtml. Acesso em: 14 out. 2020.

9 LYU H. *et al.* Overtreatment in the United States. *PLoS One*, v. 12, n. 9, p. e0181970, set. 2017. https://doi.org/10.1371/journal.pone.0181970.

10 RODRIGUES, Léo. ANS sugere novos modelos de remuneração para profissionais e hospitais. *Agência Brasil*, Rio de Janeiro, 20 mar. 2019. Disponível em: http://agenciabrasil.ebc.com.br/saude/noticia/2019-03/ans-sugere-novos-modelos-para-remuneracao-de-profissionais-e-hospitais. Acesso em: 14 out. 2020.

11 VIALLI, Andrea. Operadoras de planos de saúde estudam novos modelos de remuneração. Folha de S.Paulo, 8 dez. 2018. Disponível em: https://www1.

folha.uol.com.br/seminariosfolha/2018/12/operadoras-de-planos-de-saude-estudam-novos-modelos-de-remuneracao.shtml. Acesso em: 14 out. 2020.

12 CHRISTENSEN, Clayton M. O dilema da inovação. São Paulo: M.Books, 2011.

13 KAISER Permanente hospitals rated among nation's best. Kaiser Permanente, ago. 2019. Disponível em: https://about.kaiserpermanente.org/our-story/news/accolades-and-awards/kaiser-permanente-southern-california-hospitals-rated-among-nations-best. Acesso em: 14 out. 2020.

14 CARVALHO, Rafael. O que é inovação disruptiva? *Na prática*, 28 maio 2020. Disponível em: https://www.napratica.org.br/o-que-e-inovacao-disruptiva/. Acesso em: 14 out. 2020.

15 RAMIREZ, Vanessa Bates. The 6 Ds of tech disruption: a guide to the digital economy. SingularityHub, nov. 2016. Disponível em: https://singularityhub.com/2016/11/22/the-6-ds-of-tech-disruption-a-guide-to-the-digital-economy/. Acesso em: 14 out. 2020.

16 JORDÃO, Fabio. História: a evolução do celular. *Tecmundo*, 22 maio 2009. Disponível em: https://www.tecmundo.com.br/celular/2140-historia-a-evolucao-do-celular.htm. Acesso em: abr. 2020.

17 A Medicina dos 5Ps deriva da expansão da Medicina dos 4Ps, descrita por Hood e Friend (2011), a qual acrescentei o quinto P, o "P" de Parceria. É importante pontuar que, simultaneamente ao lançamento desta edição, Pires et. al. propuseram uma abordagem da Medicina dos 5Ps, em que se substitui Parceria por Precisão. Para saber mais, checar: HOOD L.; FRIEND S. H. Predictive, personalized, preventive, participatory (P4) cancer medicine. Disponível em: https://pubmed.ncbi.nlm.nih.gov/21364692/ ; e PIRES I. M. ; DENYSYUK H. V. ; VILLASANA MV et al. Mobile 5P -Medicine Approach for Cardiovascular Patients. Disponível em: https://pubmed.ncbi.nlm.nih.gov/34770292/.

18 DIAMANDIS, Peter. *Abundância*: o futuro é melhor do que você imagina. Rio de Janeiro: Alta Books, 2018. *E-book*.

CAPÍTULO 5: Medicina Preditiva:
como o genoma pode ajudar a detectar doenças
antes que elas apareçam ou piorem

1   LIPTAK, Andrew. The NYPD is using a new pattern recognition system to help solve crimes. *The Verge*, mar. 2019. Disponível em: https://www.theverge.com/2019/3/10/18259060/new-york-city-police-department-patternizer-data-analysis-crime. Acesso em: 14 out. 2020.

2   FILIPPIN, Natalia. Após perder filha, pai cria programa que ajuda a alertar sobre os riscos de infecção generalizada. *G1 PR*, Curitiba, 21 jun. 2019. Disponível em: https://g1.globo.com/pr/parana/noticia/2019/06/21/apos-perder-filha-pai-cria-programa-que-ajuda-a-alertar-sobre-os-riscos-de-infeccao-generalizada.ghtml. Acesso em: 14 out. 2020.

3   *Ibidem.*

4   ÔMICA. *In: Wikipédia, a enciclopédia livre*, [San Francisco, CA: Wikimedia Foundation], 25 nov. 2019. Disponível em: https://pt.wikipedia.org/wiki/%C3%94mica. Acesso em: 14 out. 2020.

5   SHELDON, Elizabeth. How is a cell's DNA like the books in a library? *Sciencing*, Apr. 25, 2017. Disponível em: https://sciencing.com/cells-dna-like-books-library-20908.html. Acesso em: 14 out. 2020.

6   NIH. *The Human Genome Project*. Disponível em https://www.genome.gov/human-genome-project. Acesso em: 14 out. 2020.

7   WCRF. *Worldwide cancer data*. Disponível em: https://www.wcrf.org/dietandcancer/cancer-trends/worldwide-cancer-data. Acesso em: 14 out. 2020.

8   HU, Zhe-Yi. *et al.* Dose-dependent association between UGT1A1*28 genotype and irinotecan-induced neutropenia: low doses also increase risk. *Clinical Cancer Research*, v. 16, n. 15, p. 3832-3842, ago. 2010. DOI 10.1158/1078-0432.CCR-10-1122.

9   JORGE Pontual revela depressão e desabafa sobre tratamento errado. *Veja São Paulo*, 31 jan. 2018. Disponível em: https://vejasp.abril.com.br/blog/pop/jorge-pontual-revela-depressao-e-desabafa-sobre-tratamento-errado/. Acesso em: 14 out. 2020.

10 HOEHE, Margret R. & MORRIS-ROSENDAHL, Deborah J. The role of genetics and genomics in clinical psychiatry. *Dialogues Clin. Neurosci.*, v. 20, n. 3, p. 169-177, set. 2018.

11 GRUPO GENERA. Farmacogenética: a solução para personalizar e otimizar tratamentos em psiquiatria. São Paulo: Genera, 9 nov. 2018. Disponível em: https://www.genera.com.br/farmacogenetica-solucao-psiquiatria/. Acesso em: dez. 2019.

12 TAKSLER, Glen B.; KEATING, Nancy L.; ROTHBERG, Michael B. Implications of false-positive results for future cancer screenings. *Cancer.*, v. 124, n. 11,) p. 2390-2398, jun. 2018.

13 TAUR, Y. *et al. Blood*, The effects of intestinal tract bacterial diversity on mortality following allogeneic hematopoietic stem cell transplantation? v. 124, p. 1174-1182, 2014.

14 VIDALE, Giulia. Brasileiros descobrem 6 novas mutações para câncer de mama e ovário. *Veja*, 7 out. 2019. Disponível em: https://veja.abril.com.br/saude/brasileiros-descobrem-6-novas-mutacoes-para-cancer-de-mama-e-ovario/. Acesso em: 14 out. 2020.

15 TOPOL, E. J. Individualized medicine from prewomb to tomb. *Cell.*, v. 157, n. 1, p. 241-253, mar. 2014.

16 POLYGENIC risk scores. Rockville Pike: NIH/National Human Genome Research Institute, c2020. Disponível em: https://www.genome.gov/Health/Genomics-and-Medicine/Polygenic-risk-scores. Acesso em: 14 out. 2020.

17 GUILHERME, João Paulo Limongi França. *Perfil poligênico de atletas brasileiros: distribuição de polimorfismos associados ao desempenho físico*. 2017. Tese (Doutorado em Biodinâmica do Movimento Humano) – Escola de Educação Física e Esporte, Universidade de São Paulo, São Paulo, 2017. DOI 10.11606/T.39.2017.tde-10042017-134032.

18 KOROBELNIK, J. F. *et al*. Effect of dietary supplementation with lutein, zeaxanthin, and -3 on macular pigment: a randomized clinical trial. *JAMA Ophthalmol.*, v. 135, n11, p. 1259-1266, nov. 2017.

19   KIECHLE, Frederick. L.; ZHANG, Xinbo; HOLLAND-STALEY, Carol A. The -omics era and its impact. *Arch. Pathol. Lab. Med.*, v. 128, n. 12, p. 1337-1345, Dec. 2004. Disponível em: https://www.ncbi.nlm.nih.gov/pubmed/15578876. Acesso em: 14 out. 2020.

CAPÍTULO 6: Medicina Preventiva: o que é prevenção de verdade?

1   GÉRVAS, J.; STARFIELD, B.; HEATH, I. Is clinical prevention better than cure? *The Lancet*, England, v. 372, n. 9654, p. 1997-1999, 2008.

2   NITAHARA, Akemi. Tabagismo custa R$ 56,9 bilhões por ano ao Brasil. *Agência Brasil*, Rio de Janeiro, 31 maio 2017. Disponível em: http://agenciabrasil.ebc.com.br/geral/noticia/2017-05/tabagismo-custa-r-569-bilhoes-por-ano-ao-brasil. Acesso em: 14 out. 2020.

3   BRASIL. Ministério da Saúde. *Cadernos de atenção primária*: rastreamento. Brasília: DF, 2013. v. II. Disponível em: http://bvsms.saude.gov.br/bvs/publicacoes/rastreamento_caderno_atencao_primaria_n29.pdf. Acesso em: 14 out. 2020.

4   NOGUEIRA, Salvador. Entenda de uma vez: o que é epigenética? *Superinteressante*, 21 ago. 2019. Disponível em: https://super.abril.com.br/ciencia/entenda-de-uma-vez-o-que-e-epigenetica/. Acesso em: 14 out. 2020.

5   CHRISTENSEN, K. *et al*. A danish population-based twin study on general health in the elderly. *J. Aging Health,* v. 11, n. 1, p. 49-64, fev. 1999.

6   Pioneiro da epigenética fala da relação entre ambiente e genoma. *Agência Fapesp*, 14 mar. 2013. Disponível em: http://agencia.fapesp.br/pioneiro-da-epigenetica-fala-sobre-relacao-entre-ambiente-e-genoma/16965/. Acesso em: dez. 2019.

7   WEAVER, I. *et al*. Epigenetic programming by maternal behavior. *Nat. Neurosci.*, v. 7, p. 847-854, 2004. DOI 10.1038/nn1276.

8   Pioneiro da epigenética fala da relação entre ambiente e genoma. *Agência Fapesp*, 14 mar. 2013. Disponível em: http://agencia.fapesp.

br/pioneiro-da-epigenetica-fala-sobre-relacao-entre-ambiente-e-genoma/16965/. Acesso em: dez. 2019.

9   MINUTO IBGE. Centenários no Brasil. *IBGE*. Disponível em: https://www.youtube.com/watch?v=M7uDz9DqyzE. Acesso em: out. 2020.

10   EPEL, Elissa; BLACKBURN, Elizabeth. *O segredo está nos telômeros: receita revolucionária para manter a juventude, viver mais e melhor.* São Paulo: Planeta, 2017. *E-book.*

11   FRIES, J. F. Aging, natural death, and the compression of mortality. *The New England Journal of Medicine*, v. 303, n. 3, p. 130-135, jul. 1980.

12   BROWNELL, K. D. & COHEN, L. R. Adherence to dietary regimens: an overview of research. *Behav. Med.,* v. 20, n. 4, p. 149-154, 1995.

13   DISHMAN, R. K. The measurement conundrum in exercise adherence research. *Med. Sci. Sports Exerc.*, v. 26, n. 11, p. 1382-1390, Nov. 1994.

14   GRAVELEY, E. A. & OSEASOHN, C. S. Multiple drug regimens: medication compliance among veterans 65 years and older. *Res. Nurs. Health,*v. 14, n. 1, p. 51-58, fev. 1991.

CAPÍTULO 7: Medicina Proativa: você no comando

1   KEDOUK, Marcia. *Prato sujo*: como a indústria manipula os alimentos para viciar você. São Paulo: Editora Abril, 2013. *E-book.*

2   *Ibidem*.

3   A DIETA moderna mata mais do que o cigarro, alerta estudo. *Veja*, 5 abr. 2019. Disponível em: https://veja.abril.com.br/saude/a-dieta-moderna-mata-mais-do-que-o-cigarro-alerta-estudo/. Acesso em: 14 out. 2020.

4   GUO, Y. *et al.* Mobile health technology for atrial fibrillation management integrating decision support, education, and patient involvement: mAF app trial. *Am. J. Med.*, v. 130, n. 12, p. 1388-1396.e6, dez. 2017.

5   TUDOR-LOCKE, Catrine & BASSETT Jr.,David R. How many steps/day are enough? Preliminary pedometer indices for public health. *Sports Med.*, v. 34, n. 1, p. 1-8, 2004.

NOTAS 215

6   CHAU, J. Y. *et al.* Daily sitting time and all-cause mortality: a meta-analysis. *PLoS One*, v. 8, n. 11, p. e80000, nov. 2013.

7   TEMPAKU, P. F.; MAZZOTTI, D. R.; Tufik, S. Telomere length as a marker of sleep loss and sleep disturbances: a potential link between sleep and cellular senescence. *Sleep Med.*, v. 16, n. 5, p. 559-563, maio 2015.

8   MARASCIULO, Marília. Aplicativos de monitoramento de sono funcionam? Saiba mais. *Galileu*, 24 ago. 2018. Disponível em: https://revistagalileu.globo.com/Ciencia/noticia/2018/08/aplicativos-de-monitoramento-de-sono-funcionam-saiba-mais.html. Acesso em: 14 out. 2020.

9   TUBINO, Guilherme; MOTTINI, Lisiani. O cérebro reorganizado. *Vox Medica*, edição 78, 22 nov. 2018. Disponível em: https://issuu.com/simers/docs/vox_medica_78_web. Acesso em: fev. 2020.

10   ARTIFON, M. *et al.* Effects of transcranial direct current stimulation on the gut microbiome: a case report. *Brain Stimul.*, v. 13, n. 5, p. 1451-1452, set.-out. 2020.

11   ROZENFELD, S. *et al.* Efeitos adversos a medicamentos em hospital público: estudo piloto. *Rev Saúde Pública*, v. 43, n. 5, p. 887-890, 2009.

11   ERROS médicos são a 3ª maior causa de morte nos EUA, estima estudo. *G1*, São Paulo, 4 maio 2016. Disponível em: http://g1.globo.com/bemestar/noticia/2016/05/erros-medicos-sao-3-maior-causa-de-morte-nos-eua-estima-estudo.html. Acesso em: 14 out. 2020.

12   A CADA hora, 6 pacientes morrem por erro médico nos hospitais brasileiros. *IG*, São Paulo, 15 ago. 2018. Disponível em: https://saude.ig.com.br/minhasaude/2018-08-15/erro-medico-morte-em-hospitais.html. Acesso em: 14 out. 2020.

13   HARARI, Yuval Noah. *21 lições para o século 21*. São Paulo: Companhia das Letras, 2018.

14   FERGUSON, Tom. *e-patients*: how they can help us heal health care. San Francisco, California: Creative Commons, 2007. Disponível em: https://participatorymedicine.org/e-Patient_White_Paper_with_Afterword.pdf. Acesso em: 14 out. 2020.

15 DJURIC, Z. *et al.* Delivery of health coaching by medical assistants in primary care. *J. American Board Family Medicine*, v. 30, n. 3, p. 362-370, maio-jun. 2017.

16 DUHIGG, Charles. *O poder do hábito*: por que fazemos o que fazemos na vida e nos negócios. Rio de Janeiro: Objetiva, 2012. *E-book*.

17 BUETTNER, Dan. *The blue zones*: 9 lessons for living longer from the people who've lived the longest. Washington: National Geographic Society, 2010. *E-book*.

18 *Ibidem*.

19 *Ibidem*.

20 BLUE ZONES. Blue Zones Project Results. Disponível em: https://www.bluezones.com/blue-zones-project-results/. Acesso em: out. 2020.

CAPÍTULO 8: Medicina Personalizada: cada indivíduo é único

1 SNYDER, Michael. *Genomics & Personalized Medicine*: what everyone needs to know. Jericho: Oxford University Press, 2016. *E-book*.

2 MCKEE, A. C. *et al.* Chronic traumatic encephalopathy in athletes: progressive tauopathy after repetitive head injury. *J. Neuropathol. Exp. Neurol.*, v. 68, n. 7, p. 709-735, jul. 2009.

3 KNIGHT, Rob & BUHLER, Brendam. *A vida secreta dos micróbios*: como as criaturas que habitam o nosso corpo definem hábitos, moldam a personalidade e influenciam a saúde. São Paulo: Alaúde, 2016.

4 *Ibidem*.

5 *Ibidem*.

6 LYNCH, Susan V. & PEDERSEN, Oluf The human intestinal microbiome in health and disease. *N. Engl. J. Med.*, v. 375, n. 24, p. 2369-2379, Dec. 15, 2016.

7 LIU, C. H. *et al.* Biomarkers of chronic inflammation in disease development and prevention: challenges and opportunities. *Nat. Immunol.*, v. 18, n. 11, p. 1175-1180, out. 2017.

8 ANTIBIÓTICOS causam alterações no intestino que prejudicam a imunidade. *UOL Viva Bem*, São Paulo, 24 out. 2018. Disponível em: https://www.uol.

com.br/vivabem/noticias/redacao/2018/10/24/antibioticos-podem-causar-anormalidades-no-intestino-e-sistema-imune.htm. Acesso em: 14 out. 2020.

9   PORCIÚNCULA, Bruna. O cocô pode salvar vidas: saiba o que é o transplante de fezes. *GZH*, 6 jul. 2018. Disponível em: https://gauchazh.clicrbs.com.br/saude/vida/noticia/2018/07/o-coco-pode-salvar-vidas-saiba-o-que-e-o-transplante-de-fezes-cjjaa0igp0nij01qo0x9jjdog.html. Acesso em: 14 out. 2020.

10   *Ibidem*.

11   DASH, S. *et al*. The gut microbiome and diet in psychiatry: focus on depression.. *Curr. Opin. Psychiatry*, v. 28, n. 1, p. 1-6, jan. 2015. Doi: 10.1097/YCO.0000000000000117.

12   MAGNE, Fabien *et al*. The elevated rate of cesarean section and its contribution to non-communicable chronic diseases in Latin America: the growing involvement of the microbiota. *Front Pediatr.*, v. 5, p. 192, set. 2017.

13   DOMINGUEZ-BELLO, M. G. *et. al*. Partial restoration of the microbiota of cesarean-born infants via vaginal microbial transfer. *Nat. Med.*, v. 22, n.3, p. 250-253, mar. 2016.

14   CLEMENTE, J. C. & DOMINGUEZ-BELLO, M. G. Safety of vaginal microbial transfer in infants delivered by caesarean, and expected health outcomes. *BMJ*, v. 352, p. i1707, mar. 2016.

15   ZEEVI, D. *et al*. Personalized nutrition by prediction of glycemic responses. *Cell.*, v. 163, n. 5, p. 1079-1094, nov. 2015.

16   ANDREEA, M. *et al*. Glucose peaks and the risk of dementia and 20-year cognitive decline. *Diabetes Care*, v. 40, n. 7, p. 879-886, July 2017. dc162203. https://doi.org/10.2337/dc16-2203.

17   REMARKS by the president on precision medicine. *The White House*, Office of the Press Secretary, Jan. 30, 2015. Disponível em: https://obamawhitehouse.archives.gov/the-press-office/2015/01/30/remarks-president-precision-medicine. Acesso em: 14 out. 2020.

18   A MEDICINA do futuro. *GZH*, 13 ago. 2019. Disponível em: https://gauchazh.clicrbs.com.br/opiniao/noticia/2019/08/a-medicina-do-futuro-cjz8os4zu01rk01paeww9ukdv.html. Acesso em: 14 out. 2020.

19 ZEEVI, D. *et al*. Personalized nutrition by prediction of glycemic *responses. Cell.*, v. 163, n. 5, p. 1079-1094, nov. 2015.

CAPÍTULO 9: Medicina Parceira:
o médico amigo e curador de dados

1 FREY, Carl Benedikt & OSBORNE, Michael. The future of employment. Oxford: Oxford Martin Programme on Technology and Employment, Sept. 17, 2013. Disponível em: https://www.oxfordmartin.ox.ac.uk/downloads/academic/future-of-employment.pdf. Acesso em: 14 out. 2020.

2 YOUR job. Will Robots Take My Job? Disponível em: https://willrobotstakemyjob.com/. Acesso em: 14 out. 2020.

3 TOPOL, E. J. Individualized medicine from prewomb to tomb. *op. cit.*

4 O QUE é terabyte? *Celular Direto*, Rio de Janeiro, 16 jun. 2019. Disponível em: https://www.celulardireto.com.br/o-que-e-terabyte/. Acesso em: 14 out. 2020.

5 TOPOL, E. J. Individualized medicine from prewomb to tomb. *op. cit.*

6 "DADOS são o novo petróleo", diz CEO da Mastercard. *Época Negócios*, 5 jul. 2019. Disponível em: https://epocanegocios.globo.com/Empresa/noticia/2019/07/dados-sao-o-novo-petroleo-diz-ceo-da-mastercard.html. Acesso em: jan. 2020.

7 *Ibidem*.

8 NÁFRÁDI, Lilla; NAKAMOTO, Kent; SCHULZ, Peter J. Is patient empowerment the key to promote adherence? A systematic review of the relationship between selfefficacy, health locus of control and medication adherence. *PLoS One*, v. 12, n. 10, p. e0186458, out. 2017. https://doi.org/10.1371/journal.pone.0186458.

9 MATSUMOTO, Mônica. Tecnologia que grava consulta médica deverá revelar a saúde do paciente. *Tilt*, 13 dez. 2019. Disponível em: https://paraondeomundovai.blogosfera.uol.com.br/2019/12/13/tecnologia-que-grava-consulta-medica-devera-revelar-a-saude-do-paciente/. Acesso em: 14 out. 2020.

10 KLEINA, Nilton. Fim dos garranchos na receita? IA da Amazon 'traduz' consultas médicas. *Tecmundo*, 29 dez. 2019. Disponível em: https://

www.tecmundo.com.br/software/148356-fim-garranchos-receita-ia-amazon-traduz-consultas-medicas.htm. Acesso em: 14 out. 2020.

11 SEGATTO, Cristiane. O que você ganha com o compartilhamento de seus dados de saúde. *UOL*, 18 dez. 2019. Disponível em: https://cristianesegatto.blogosfera.uol.com.br/2019/12/18/o-que-voce-ganha-com-o-compartilhamento-de-seus-dados-de-saude/. Acesso em: 14 out. 2020.

12 RASKIN, Salmo. Telemedicina: a ferramenta para melhorar o atendimento genético no Brasil. *Veja*, 18 fev. 2019. Disponível em: https://veja.abril.com.br/blog/letra-de-medico/telemedicina-a-ferramenta-para-melhorar-o-atendimento-genetico-no-brasil/. Acesso em: 14 out. 2020.

CAPÍTULO 10: A reinvenção da Medicina

1 THE PROFESSIONAL SOCIETY FOR HEALTH ECONOMICS AND OUTCOMES RESEARCH. *ISPOR 2020 top 10 heor trends report*. ISPOR, 2020. Disponível em: https://www.ispor.org/heor-resources/about-heor/top-10-heor-trends. Acesso em: jan. de 2020.

2 KALTENBOECK, A. & BACH, P. B. Value-based pricing for drugs: theme and variations. *JAMA*, v. 21, p. 2165-2166, jun. 2018.

3 TOPOL, E. J. *The creative destruction of medicine*: how the digital revolution will create better health care. Nova York: Basic Books, 2011. *E-book*.

4 SABBATINI, Renato. Se um médico pode ser substituído por um computador, deveria sê-lo. Época Negócios, 12 abr. 2019. Disponível em: https://epocanegocios.globo.com/colunas/noticia/2019/04/se-um-medico-pode-ser-substituido-por-um-computador-deveria-se-lo.html. Acesso em: 14 out. 2020.

5 *Ibidem*.

6 GAGLIONI, Cesar. *O que é biohacking*: e como ele é adotado no Vale do Silício. *Nexo*, 23 nov. 2019. Disponível em: https://www.nexojornal.com.br/expresso/2019/11/23/O-que-%C3%A9-o-biohacking.-E-como-ele-%C3%A9-adotado-no-Vale-do-Sil%C3%ADcio. Acesso em: 14 out. 2020.

7 SCHWINGSHACKL, L.; BOGENSBERGER, B.; HOFFMANN, G. Diet quality as assessed by the healthy eating index, alternate healthy eating index, dietary approaches to stop hypertension score, and health outcomes: an updated systematic review and meta-analysis of cohort studies. *J. Acad. Nutr. Diet.*, v. 118, n. 1, p. 74-100, jan. 2018.

8 FIGLIE, Neliana Buzi & GUIMARAES, Lívia Pires. A entrevista motivacional: conversas sobre mudança. *Bol. Acad. Paul. Psicol.*, São Paulo, v. 34, n. 87, p. 472-489, dez. 2014. Disponível em: http://pepsic.bvsalud.org/scielo.php?script=sci_arttext&pid=S1415-711X2014000200011&lng=pt&nrm=iso. Acesso em: 14 out. 2020.

9 DESCUBRA quais são as profissões do futuro. *Guia da Carreira*, [s.d.]. Disponível em: https://www.guiadacarreira.com.br/profissao/profissoes-do-futuro/. Acesso em: jan. de 2020.

10 NHS. The topol review: preparing the healthcare workforce to deliver the digital future. Health Education England, Feb. 2019. Disponível em: https://topol.hee.nhs.uk/wp-content/uploads/HEE-Topol-Review-2019.pdf. Acesso em: 14 out. 2020.

11 OLIVEIRA, Marlene. Estamos preparados para o paciente 4.0? *Veja Saúde*, 15 jan. 2020. Disponível em: https://saude.abril.com.br/blog/com-a-palavra/estamos-preparados-para-o-paciente-4-0/. Acesso em: 14 out. 2020.

12 Wen, C. P. *et al.* Minimum amount of physical activity for reduced mortality and extended life expectancy: a prospective cohort study. *Lancet*, v. 378, n. 9798, p. 1244-1253, out. 2011.

13 TUDOR-LOCKE, Catrine & BASSETT JR., David R. How many steps/day are enough? Preliminary pedometer indices for public health. *Sports Med.*, v. 34, n. 1, p. 1-8, 2004.

14 IT PAYS to walk. Sweatcoin, c2015-2020. Disponível em: https://sweatco.in/. Acesso em: jan. 2020.

15 SEGAL, Eran & ELINAV, Segal. *A dieta personalizada*. São Paulo: Martins Fontes, 2019.

16   COLMAN, Ricki J. *et al.* Caloric restriction delays disease onset and mortality in rhesus monkeys. *Science*, v. 325, n. 5937, p. 201-204, jul. 2009.

17   JACKA, Felice N. *et al.* Western diet is associated with a smaller hippocampus: a longitudinal investigation. *BMC Med.*, v. 13, n. 215, 2015. https://doi.org/10.1186/s12916-015-0461-x.

18   DE CABO, Rafael & MATTSON, Mark P. Effects of intermittent fasting on health, aging, and disease. *N. Engl. J. Med.*, v. 38, n. 26, p. 2541-2551, dez. 2019.

19   POLESSO, Rodrigo. *Este não é mais um livro de dieta*: o novo e libertador estilo de vida alimentar para saúde e boa forma que derruba o conceito de dietas. São Paulo: Gente, 2019.

20   LEY, S. H. *et al.* Associations between red meat intake and biomarkers of inflammation and glucose metabolism in women. *Am. J. Clin. Nutr.*, v. 99, n. 2, p. 352-360, fev. 2014.

21   POLLAN, Michael. *Regras da comida*: um manual da sabedoria alimentar. Rio de Janeiro: Intrínseca, 2010. *E-book*.

22   MEDITAÇÃO mindfulness contra o estresse. *Veja Saúde*, 14 fev. 2020. Disponível em: https://saude.abril.com.br/mente-saudavel/meditacao-mindfulness-contra-o-estresse/. Acesso em: 14 out. 2020.

23   SELIGMAN, Martin E. P. *Felicidade autêntica*: use a psicologia positiva para alcançar todo seu potencial. 2. ed. Rio de Janeiro: Objetiva, 2019.

24   KABAT-ZINN, Jon. *Atenção plena para iniciantes*. 2. ed. São Paulo: Sextante, 2017.

25   LUCAS, Luis Fernando. A era da integridade. Editora Gente: São Paulo, 2020.

26   COLMAN, R. J. *et al.* Caloric restriction delays disease onset and mortality in rhesus monkeys. *Science*, v. 325, n. 5937, p. 201-204, 2009.

CAPÍTULO 11: O amanhã é agora

1   ANGELL, M. *A verdade sobre os laboratórios farmacêuticos*: como somos enganados e o que podemos fazer a respeito. Rio de Janeiro: Record, 2007.

2   THE DECADE of the "young old" begins. *The Economist*. Disponível em: https://worldin.economist.com/article/17316/edition2020decade-young-old-begins.

Acesso em: out. 2020.

3 A CADA hora, 6 pacientes morrem por erro médico nos hospitais brasileiros. *IG*, São Paulo, 15 ago. 2018. Disponível em: https://saude.ig.com.br/minhasaude/2018-08-15/erro-medico-morte-em-hospitais.html. Acesso em: 14 out. 2020.

4 ORWELL, George. *Como morrem os pobres e outros ensaios*. São Paulo: Companhia das Letras, 2011.

5 APÓS ser salvo por Apple Watch, brasileiro recebe e-mail de chefe da Apple. *Tilt*, São Paulo, 7 jan. 2020. Disponível em: https://www.uol.com.br/tilt/noticias/redacao/2020/01/07/ceo-da-apple-responde-brasileiro-que-descobriu-doenca-gracas-ao-apple-watch.htm. Acesso em: fev. 2020.

6 BRASIL. Ministério da Saúde. Portaria nº 2.527, de 27 de outubro de 2011. Redefine a Atenção Domiciliar no âmbito do Sistema único de Saúde (SUS). Disponível em: http://www.saude.sp.gov.br/resources/ses/perfil/gestor/homepage/redes-regionais-de-atencao-a-saude-no-estado-de-sao-paulo/rede-de-atencao-as-urgencias-rau/atencao-domiciliar/portaria_2527_27_10_11.pdf. Acesso em: 14 out. 2020.

7 VORSTMAN, J. A. S. *et al*.Autism genetics: opportunities and challenges for clinical translation. *Nat. Rev. Genet.*, v. 18, n. 6, p. 362-376, jun. 2017.

8 GOODYER, I. M. Genes, environments and depressions in young people. *Arch. Dis. Child.*, v. 100, n. 11, p. 1064-1069, nov. 2015.

9 TERRA, Cláudio. Entrevista concedida ao autor.

10 HARARI, Yuval Noah. *Sapiens:* uma breve história da humanidade. Porto Alegre: L&PM Editores, 2015.

11 GNIPPER, Patrícia. Previsões que Isaac Asimov fez há 35 anos sobre o ano de 2019. *CanalTech*. Disponível em: https://canaltech.com.br/curiosidades/previsoes-que-isaac-asimov-fez-ha-35-anos-sobre-o-ano-de-2019-130217/#:~:text=%C3%89%20de%20Asimov%2C%20inclusive%2C%20a,ao%20lado%20de%20Robert%20A. Acesso em: out. 2020.

Gostaria de agradecer o apoio da Academia Brasileira de Medicina Funcional Integrativa, sem o qual a construção do livro **Medicina do amanhã** não seria possível.

Academia Brasileira de Medicina
FUNCIONAL INTEGRATIVA

Este livro foi impresso
pela Gráfica Rettec
em papel pólen bold 70g
em outubro de 2022.